MANO A MANO

ANTONIO CABALLERO

ENRIQUE SANTOS CALDERÓN

MANO A MANO

 Planeta

© Antonio Caballero, 2004
© Enrique Santos Calderón, 2004
© Editorial Planeta Colombiana, S. A., 2004
Calle 73 No. 7-60, Bogotá.

COLOMBIA: www.editorialplaneta.com.co
VENEZUELA: www.editorialplaneta.com.ve
ECUADOR: www.editorialplaneta.com.ec

Fotografías de la cubierta y de las solapas: © Germán Montes

Armada electrónica: Editorial Planeta Colombiana S. A.

ISBN: 958-42-0925-6

Primera edición: abril de 2004
Impresión y encuadernación: Printer Colombiana S. A.

CONTENIDO

2

LA ACTUALIDAD

3

LA VIOLENCIA

4

LA POLÍTICA

5

TODOS AL CENTRO

6

EL VECINDARIO

7

LA JUVENTUD Y LA MUJER

8

LA PRENSA

Los autores

Antonio Caballero nació en Bogotá en 1945. Se graduó como bachiller en el Gimnasio Moderno, cursó algunos semestres de derecho en la Universidad del Rosario y luego hizo estudios en el Instituto de Ciencias Políticas de París. Trabajó en Londres en la edición en castellano de la revista *The Economist* y en el servicio en español de la BBC. Después se vinculó a la agencia France Presse en París y, más tarde, al semanario *Cambio 16* en Madrid. En Colombia formó parte de la redacción de la revista *Alternativa*, a la que estuvo estrechamente vinculado. Ha escrito artículos para *El Tiempo* y ha sido columnista de *El Espectador*, de la edición colombiana de *Cambio16* y, desde hace varios años, de *Semana*, donde también publica caricaturas. Es autor de la novela *Sin remedio*, de los libros de caricaturas *Reflexioné* y *Este país*, de

Enrique Santos Calderón nació en Bogotá en 1945. Graduado en filosofía y letras de la Universidad de los Andes, se especializó en ciencias políticas en la Universidad de Munich. Desde que es director de *El Tiempo* no volvió a publicar su columna «Contraescape», que lo hizo uno de los comentaristas más influyentes del país. Por esta columna ganó en tres ocasiones el Premio de Periodismo Simón Bolívar. En 1985 obtuvo el Premio Internacional de Periodismo Rey de España por una serie de crónicas sobre Nicaragua. Fundó y dirigió con Gabriel García Márquez la revista *Alternativa*, que de 1974 a 1980 fue el órgano de oposición más importante de Colombia.
Es autor de los libros *La guerra por la paz* (1985), *Fuego cruzado* (1988), sobre los fenómenos de violencia que han generado el narcotráfico, la guerrilla y

(Antonio Caballero)

*Toros, toreros y públicos y Los
siete pilares del toreo* (Espasa);
de las antologías de notas
*Paisaje con figuras, Quince
años de mal agüero y No es por
aguar la fiesta;* esta última le
mereció el Premio Planeta
de Periodismo en 1999.
También recibió el Premio
Simón Bolívar a la Vida y
Obra de un Periodista.
En 2002 Planeta publicó el
libro *Patadas de ahorcado,* una
larga entrevista con Juan
Carlos Iragorri. Vive entre
Madrid y Bogotá.

(Enrique Santos Calderón)

el paramilitarismo; *Palabras
pendientes,* una conversación
con Alfonso López
Michelsen, y *Fiestas y
funerales,* una recopilación
de sus mejores escritos.
En 1997 ganó el Premio
Planeta de Periodismo con
el libro *Un presidente en
contraescape.*
Fue miembro de la
Comisión Negociadora con
el M-19 y el EPL durante el
gobierno de Belisario
Betancur. Es vicepresidente
de la Comisión de Libertad
de Prensa de la SIP.

Presentación

Nos reunimos en una sala privada del hotel que aloja ahora el edificio de piedra y ladrillo diseñado por Víctor Schmid, sólo molestados por el furioso sol de los atardeceres de marzo que se colaba por entre las persianas de madera. Antonio y Enrique hablaron en varias jornadas de dos horas cada una, muy respetuosamente, sin raparse la palabra, interrumpiéndose pocas veces, estudiándose con perspicacia. Era curioso verlos uno al lado del otro, codo contra codo, amigos de muchas aventuras, políticas y de las otras, sopesando sus diferencias y coincidencias sobre todas las malditas cosas que le suceden a este país.

Lo más curioso era ver a Antonio batiéndose por primera vez en su vida sin poderse fumar un solo cigarrillo, mientras Enrique, en cambio, no paraba de encender cigarrillos, cosa aún más misteriosa, de marcas diferentes, los unos estándar y los otros light.

Una vez formuladas las preguntas, Enrique era casi siempre el primero en lanzarse a responder. Antonio escuchaba y hacía algunas anotaciones, pero la mayor parte del tiempo trazaba dibujos de castillos, jarras, mausoleos, toros, animales, como éstos:

A medida que se desgrababan los casetes, cada uno por su lado trabajaba en los textos. Enrique con una letra jeroglífica que tiene una Q (*que*: ¡aquí dice «que», por ejemplo!) que podría figurar como pieza clave de un código indescifrable. Antonio decía que Enrique escribía como hablaba, que no se le entendía nada y que la pobre mujer que desgrababa los casetes no iba a poder descifrar nada. Yo no lo sentí así, pero ustedes que han escuchado a todos los Santos saben que ellos hablan tan frenéticamente como viven, con la angustia de parir un periódico cada 24 horas y al mismo tiempo atender su pasión por el golf, y los compromisos sociales y las múltiples necedades amorosas que los han caracterizado generación tras generación.

Antonio, que tiene ahora la cara más roja que nunca, respondía asentando cada palabra y cada punto y coma como si estuviera levantando un muro, trayendo a colación citas y hechos gracias a esa prodigiosa memoria que deslumbra a las mujeres, que con fiereza salvaje odian el olvido.

A mí ha terminado por gustarme más el Caballero oído que el leído, incluso el oído-leído, o sea el desgrabado y puesto en papel, quizás porque llevo muchos años leyendo su columna y finalmente uno termina cansándose, y porque admiro la parsimonia que pone para deletrear cada frase de la manera más castellanamente antiacadémica.

Se los explico porque lo he vivido, ya que he trabajado en la edición de tres de sus libros: Antonio es meticuloso y persistente en armar sus oraciones obedeciendo a sus pasiones literarias, a su manera de saborear las palabras y a su propio ritmo de atornillar los signos de puntuación —pues sólo los buenos escritores saben que poner una coma es todo un arte, un arte absolutamente personal; para Lampedusa era un asunto mu-

sical y no gramatical— y a refinar la soberana gana de trans-
gredir las reales normas del lenguaje.

Lo cual no quiere decir que Enrique no se afane por pun-
tuar lo que dice o escribe, quizás de manera más exuberante
que Antonio, pues la cosa sería que mientras Enrique, como
Boccaccio, utiliza cinco signos, Antonio, como Petrarca, pone
cuatro.

Este libro se me ocurrió como una conversación entre dos
prestigiosos columnistas, no como un libro de preguntas y res-
puestas, y como tal se debe de leer. Ustedes van a ver que tanto Antonio como Enrique exponen in extenso su pensamiento,
casi hasta agotar lo que creen sobre cada tema. Por eso procuré no
interrumpirlos, y ellos fueron los primeros en sorprenderse con
lo que escuchaban el uno del otro, porque la posibilidad de
hablar sin tener el límite de caracteres al que están hoy cons-
treñidos los columnistas, los mostró más profundos, más tota-
lizantes y más frescos.

Las interrupciones corrieron por cuenta del celular de luz
azul neonizada de Enrique, que a cada momento repicaba y
dejaba a Antonio, o al mismo Enrique, con una palabra bailan-
do en la cuerda floja.

Claro, Antonio fue el más sorprendido, porque como él mismo lo dijo, «yo pensé que Enrique iba a hablar como el editorialista de *El Tiempo* y resulta que habló más como Enrique Santos».
Y aunque Enrique insiste en que lo que dice en este libro ya lo
había escrito en algunos de los editoriales del periódico, la verdad es que aquí se lee como si hubiera regresado su columna
«Contraescape».

A los dos se les ha reconocido como los columnistas más
leídos del país. Comenzaron a escribir desde la adolescencia,

con una rebeldía que en Enrique entroncaba con una época pretérita en la que el periódico de su tío publicaba editoriales contra el imperialismo yanqui y columnas y caricaturas de socialistas confesos como Jorge Zalamea y Ricardo Rendón, y que en Antonio enraizaba en la sensibilidad tolstoiana que aflora en las novelas *Siervo sin tierra*, *El Cristo de espaldas* y *Manuel Pacho*, escritas por su padre Eduardo Caballero Calderón.

Ambos fueron arrastrados, como millones de jóvenes intelectuales, por la avalancha de transformaciones que sacudieron al mundo desde los albores del siglo XX, cuyo hito fue la revolución de Lenin, y que contó con acontecimientos tan decisivos como la emigración de multitudes de campesinos a las ciudades, la incorporación de legiones de mujeres a los puestos de trabajo, la liberación del neocolonialismo de casi un centenar de naciones en África, Asia y América, hasta las revoluciones de China, Cuba y de los pueblos de Indochina.

Al lado de estas tempestades sociales se produjeron profundos cambios culturales —algunos los han calificado de «revolución cultural de la clase media» y otros, tal vez más acertadamente, de «el poder de la cultura popular norteamericana»—, que van desde la acelerada descomposición de la familia hasta íconos como la Coca-Cola, los blue-jeans —Antonio no se los quita ni para ir al Jockey— y el rock.

En América Latina todo esto hizo que los héroes de los muchachos fueran Fidel, Turcios Lima, Fabricio Ojeda, Mariguella, Larrota, Garnica, Camilo Torres, Cienfuegos o el Che, al lado de nombres como los de Led Zeppelin, los Rolling Stones o los Beatles.

Los jóvenes querían cambiar el mundo y craneaban con fervor y con impaciencia todo tipo de fórmulas de cómo hacerlo.

Antonio y Enrique se encontraron entonces unidos, bajo el efecto de ese fuerte influjo universal de querer hacer la revolución, bajo el mismo techo, el de la revista *Alternativa*, y bajo las mismas banderas, las del frente político Firmes.

Más adelante los ideales de aquella época sufrieron un retroceso enorme y los dos fogosos columnistas siguieron sus propios caminos. Cada uno en lo suyo, continúan alegando y defendiendo sin titubear sus convicciones, con el arresto y el estilo que tuvieron en su juventud. El vigor con que hablan y escriben, su arrojo y su desenfado, los pone por encima del país taimado y desteñido de las componendas, y los convierte todavía en dos de los más llamativos comentaristas de nuestra prensa. Estemos o no de acuerdo con ellos, Antonio y Enrique son de los pocos que nos hacen creer que Chesterton podría no tener razón cuando decía que «El periodismo es el arte de llenar columnas impresas por el revés de los anuncios».

JUAN LEONEL GIRALDO

1
Los grandes problemas de Colombia

¿Violencia o desigualdad?

JUAN LEONEL GIRALDO: *Para ustedes, ¿cuál es hoy el mayor problema de Colombia?*

ANTONIO CABALLERO: En mi opinión, todos los problemas de inseguridad, violencia, conflicto armado, con todas sus manifestaciones, son síntomas de un problema muchísimo más profundo: el problema de la injusticia económica y social, a la cual ni siquiera se le ha prestado nunca la menor atención, salvo quizás durante la Revolución en Marcha de la República Liberal. Después eso paró; y desde entonces hasta ahora creo que Colombia es cada año que pasa un país más injusto, un país más desequilibrado y un país más cruel para con sus propios habitantes. Creo que todo viene de ahí. Y a la vez está, obviamente, financiado por el enorme flujo de dinero del narcotráfico, que es enorme por el hecho conocido de que el narcotráfico está prohibido en el mundo entero por los gobiernos de los Estados Unidos.

ENRIQUE SANTOS CALDERÓN: No cuestiono las causas sociales y económicas de la crisis que vive Colombia hoy, pero tampoco estoy de acuerdo con la visión catastrofista de Antonio: que estamos mucho peor que antes, que estamos ante una eterna sin salida. Yo creo que el problema central de la Colombia actual, de la Colombia de aquí y de ahora, de la Colombia de Uribe, es la violencia, en todas sus expresiones: delincuencial, política, paramilitar, guerrillera, mafiosa... Es lo que tiene a este país en una encrucijada dramática. Por otro lado, están el problema social y el aumento de los índices de pobreza, que son caldo de cultivo de la violencia, sin que sea factor justificatorio. La violencia colombiana está muy ligada hoy al fenómeno del narcotráfico. Aparte de operar como factor de influjo de divisas, la economía ilegal de la droga es un motor de la violencia, un combustible del conflicto armado. De hecho, se ha vuelto fuente central de financiación tanto de paras como de guerrilleros. Al narcotráfico le conviene la desinstitucionalización. La droga no tiene ideología: se mueve como pez en el agua a través de todos los niveles del conflicto. Alimenta a los paras, alimenta a la guerrilla, a los propios carteles.

Ahora bien, un fenómeno que me parece particularmente grave de la Colombia de ahora es la progresiva fusión de narcos, paras y gamonales políticos que se está creando y que ya tiene expresiones políticas a nivel del poder local en muchas regiones, sobre todo en la Costa. Es un fenómeno al que hay que prestarle mucha atención porque hacia adelante será factor de otras encrucijadas.

ANTONIO CABALLERO: Insisto, de todas maneras, en que la violencia no es un problema en sí mismo: la violencia es el síntoma de un problema mucho más profundo. La violencia en todas sus formas, tanto la delincuencial como la política, y en la política, tanto la de la guerrilla como la de los paramilitares, es la consecuencia de un atascamiento de la sociedad colombiana; atascamiento que se ha promocionado desde arriba, desde las clases dominantes (no las puedo llamar gobernantes porque estoy de acuerdo con Malcolm Deas, que dice que en Colombia no existe una clase dirigente que tenga conciencia de qué es la dirigencia, de qué es dirigir un país). La raíz del problema es ese atascamiento social, esa incapacidad de la sociedad colombiana para dar justicia a las mayorías, de ahí viene todo lo demás.

Estoy de acuerdo con Enrique en que todo eso se financia con el dinero del narcotráfico. El dinero del narcotráfico, como dice Enrique, es incontrolable porque es ilegal, pero ¿por qué es ilegal? y ¿por qué es tanto? Es tanto precisamente porque es ilegal: en las drogas lo que se está pagando es simplemente el peligro y la ilegalidad. Cultivar coca es probablemente mucho más barato que cultivar café, pero cuando una libra de café en los Estados Unidos vale 60 centavos de dólar, una libra de cocaína en los Estados Unidos vale 12.000 dólares. Entonces es perfectamente natural, primero, que en un país como Colombia, donde no existen demasiadas fuentes de ingreso y de trabajo, muchísima gente se dedique, en los niveles más bajos, es decir, más primarios del negocio, a sembrar coca, que es lo único que les da a cientos de miles de familias de campesinos cocale-

ros con qué comer; y por otro lado, que muchísimos aventure-
ros arriesguen lo que sea, los narcotraficantes propiamente
dichos, a cambio de una ganancia que puede ser descomu-
nal. Lo mismo ocurre, por supuesto, tanto con las guerrillas desde que se metieron en el negocio de la droga (eso tiene unos
doce o quince años) como con los paramilitares, que en mi opinión no se pueden diferenciar de los narcotraficantes. Los paramilitares fueron organizados en este país fundamentalmente
por los narcotraficantes. Luego empezaron a ser financiados
por otro tipo de terratenientes tradicionales, transportadores
y ricos locales, también gente que sentía la guerrilla como una
amenaza.

Pero creo que originalmente los organizadores fueron los
narcos, con el MAS (Muerte a Secuestradores), que lanzaron
los Ochoa cuando fue secuestrada su hermana por el M-19. Recuerdo que en esa época el procurador, Jiménez Gómez, decía
que en la organización de los paramilitares sólo habían participado algunos «elementos descorregidos» de las Fuerzas Armadas. Yo creo que no era así; yo creo que desde el primer
momento los grupos paramilitares integrados y financiados por
los narcotraficantes contaron con el apoyo y con la complicidad de las Fuerzas Militares. Eso se vio también mucho tiempo después, cuando la guerra contra Pablo Escobar, en la alianza
entre la Policía, el Ejército y el Cartel de Cali; alianza que ya no
es un secreto para nadie, aunque en ese momento naturalmente era negada en redondo por todos las instancias políticas interesadas.

ENRIQUE SANTOS CALDERÓN: Repito: no se puede negar que
hay un factor social en el fenómeno de violencia que vive Colombia. Es obvio cuando los índices de marginalidad son tales

que hay campesinos cuyo ingreso a un grupo armado es una oportunidad de ascenso social y económico. Mientras exista tanto desempleo, tendrán amplia base de reclutamiento todos los grupos armados ilegales; y es una cruel ironía que la guerra se haya convertido en un gran generador de empleo. Reflejo, sin duda, del problema social.

Pero insisto en que no puede decirse que la violencia en Colombia se deba a eso; que la pobreza explique o justifique a la guerrilla o a los paras. Los paras no tienen su origen en un fenómeno de miseria ni tampoco hoy las FARC —que tuvieron su origen como autodefensas campesinas— responden a eso. Las FARC son una poderosa organización económica y militar y lo cierto es que la lucha armada se ha vuelto una forma de vida. Tampoco creo que haya que esperar a acabar con el fenómeno de la injusticia y la pobreza para dejar de combatir a los violentos. Es más: es la violencia profesional y organizada de guerrilla, paramilitares y mafiosos lo que está agravando el atascamiento social que vive Colombia. Por eso, acabar con esa violencia es una prioridad absoluta. No habrá aquí desarrollo, ni inversión, ni equidad, ni empleo mientras continúen estos índices de inseguridad, secuestro y muerte.

ANTONIO CABALLERO: Ese es uno de los puntos que se discutieron en los últimos años: si la miseria generaba o no violencia o la justificaba.

ENRIQUE SANTOS CALDERÓN: Si fuera así, en el resto de América Latina, donde hay índices de pobreza más altos que en Colombia, pulularían los grupos armados. Lo que no se debe olvidar es que en Colombia también incide nuestra tradición histórica de insurrecciones armadas que viene desde el siglo

XIX, con sus decenas de guerras civiles. Existe, pues, una especie de cultura de la violencia, además de una geografía muy propicia, que obviamente favorece que ésta se haya perpetuado, y a la cual hay que sumarle el fenómeno del narcotráfico que la mantiene y la alimenta.

Estoy de acuerdo con Antonio en lo del problema de la droga como generador de inestabilidad y conflicto. Tenemos que reconocer que la guerra contra la droga ha sido un fracaso absoluto. La forma como Estados Unidos ha conducido e impuesto esta estrategia de combatir el narcotráfico es ineficaz y autodestructiva. Colombia ha pagado un enorme costo social, humano, político y económico en esta lucha en nombre de los Estados Unidos. En eso seguimos y es uno de los grandes dramas y dilemas que tiene el Estado colombiano: tener que dar una guerra que no es ganable. Treinta años de guerra contra la droga enseñan que es imposible de eliminar con esos métodos.

El fenómeno del paramilitarismo no se origina en el narcotráfico, como dice Antonio. Los primeros grupos de autodefensa nacen en el Magdalena Medio en los años sesenta, mucho antes del narcotráfico. Eran núcleos sociales que se organizaban espontáneamente, o dirigidos por el Estado en la época de la acción cívico-militar, cuando era legal que el Ejército organizara comunidades campesinas para defenderse del acoso guerrillero. Después, a comienzos de 1980, los narcos crearon sus propios grupos de autodefensa y empieza a surgir el fenómeno del narcoparamilitarismo. Se consolida inicialmente también en el Magdalena Medio, cuando con la extorsión de las FARC en esa zona todos los grandes propietarios abandonan sus tierras, que son ocupadas o compradas por narcotraficantes que no estaban dispuestos a dejarse correr por la guerrilla. Y cuando los narcos comienzan a ser secuestrados por la guerrilla surge el MAS (Muerte a Secuestradores). Luego tienen toda clase de expresiones diversas, no todas ellas vinculadas al narcotráfico. Lo que está ocurriendo hoy es que muchos narcos puros se están disfrazando de paramilitares, aprovechando el proceso de negociación para legalizar capitales, lograr indultos, amnistías y adquirir cariz político. Metamorfosis preocupante.

ANTONIO CABALLERO: Yo creo que esa mezcla de narcotráfico y paramilitarismo es más perversa todavía en otros aspectos de los que no hemos hablado. Por ejemplo, creo que el hecho de que por instrucciones de los gobiernos de los Estados Unidos el principal enemigo de las Fuerzas Armadas y la Policía colombianas sea el narcotráfico impide que se puedan dedicar a otros problemas infinitamente más graves, en mi opinión, para Colombia: el tema del secuestro, por ejemplo. Es decir, si el Ejército y la Policía no estuvieran dedicados a fumigar, a perseguir narcotraficantes, a detener barcos en altamar, a quemar en la selva «cocinas» y «laboratorios», a bombardear pistas aéreas, sino que pudieran concentrarse en combatir algo mucho más terrible, como es el secuestro —tanto el secuestro guerrillero como el secuestro de la delincuencia civil—, estoy seguro de que no existiría ese fenómeno monstruoso de los 3.000 secuestrados anuales, que no tiene parangón en el mundo. Pero sucede que las Fuerzas Militares y de seguridad colombianas se están dedicando a resolver un problema ajeno, el de la droga, que es un problema de los Estados Unidos o inventado por ellos y que sólo de rebote nos toca a nosotros.

Es verdad que nos ha destruido en todos los sentidos: moralmente, materialmente, desde el punto de vista de la naturaleza.

Pero ese problema no es el nuestro. Nuestros problemas son otros y nuestras prioridades deberían ser otras: atacar la inseguridad y la violencia de la guerrilla, dice Enrique. Me parece que sí, naturalmente, es verdad, pero no es que haya que esperar a que exista la justicia social en Colombia para que en ese momento automáticamente desaparezca el conflicto armado. Lo que pasa es que el agravamiento de las tensiones sociales agrava el conflicto armado: por ejemplo, el fenómeno del desempleo. El desempleo es lo que alimenta en mano de obra tanto a los paramilitares como a las guerrillas, y no por razones ideológicas ni muchísimo menos, puesto que vemos todos los días paramilitares que se vuelven guerrilleros, guerrilleros que se vuelven paramilitares, o desertan los unos o desertan los otros. No es un fenómeno ideológico, es un fenómeno de desempleo armado; mientras en el campo colombiano las únicas fuentes de empleo sean las fuentes armadas, bien sea la guerrilla, bien sean los paramilitares o bien sea el propio Ejército ahora con los soldados campesinos, pues me parece muy difícil que desaparezcan los aparatos armados.

Si las FARC han crecido tanto en los últimos años es justamente porque en el campo ya no existe trabajo para nadie, y en cambio las FARC, gracias a su control de buena parte del narcotráfico, tienen dinero de sobra para mantener, alimentar y armar reclutas. Eso es menos cierto en el caso del ELN porque el ELN más o menos se ha abstenido de entrar en el negocio del narcotráfico y en consecuencia tiene mucho menos dinero, así como tuvo mucho más en la época de la bonanza petrolera y de la Mannesmann y de todas esas extorsiones a los petroleros, incluida Ecopetrol, por supuesto.

El «libre» comercio

Antonio Caballero: Ahora: ¿a qué se debe el crecimiento desaforado del desempleo en el campo? Se debe —y se va a agravar con este tratado de libre comercio con Estados Unidos que nos venden como una panacea— a que la agricultura y la ganadería colombianas no son competitivas con las del Canadá, los Estados Unidos, la Unión Europea, donde el agro está ultra-subvencionado. No es posible que un ganadero colombiano compita en leche con las vacas de la Unión Europea que reciben siempre un considerable subsidio anual. No es posible que compitamos ni siquiera en papa y en maíz, y eso es absolutamente inconcebible. Eso hace, además, que los campesinos colombianos ya no sean autosuficientes, sino que tengan que *comprar* sus cosas. Es decir, están entrando a una economía «dineraria», que es sin duda superior cuando hay dinero, pero no cuando no se lo produce. Su economía de subsistencia sería más primitiva, pero hacía que no fueran costosos para la sociedad en su conjunto. Ahora, lo son porque se tienen que volver cocaleros, o narcos, o paramilitares, o guerrilleros; o huir a las ciudades, donde se convierten en atracadores, o en raponeros, o en mendigos de semáforo. Le cuesta a la sociedad, por supuesto, muchísimo más un guerrillero o un atracador sin subvencionar que un campesino subvencionado en el campo. Pero Colombia no quiere subvencionar su agricultura, porque se lo prohíbe Estados Unidos, que sí subvenciona la suya, como lo hacen también la Unión Europea y el Japón: los ricos.

Todas las negociaciones de comercio que se han hecho en los últimos años, desde los tiempos de la «apertura» del presidente Gaviria y que ahora con el presidente Uribe se van a profundizar y ampliar y prolongar en esos tratados llamados de «libre» comercio, que no es libre sino amarrado, han sido tremendamente dañinas para la situación de violencia colombiana, justamente porque lanzan al desempleo a toda la población del campo. Y en Colombia la violencia nace en el campo y del campo se traslada a las ciudades. En buena parte, en estos últimos años de Samper y Pastrana, y en los dos que lleva Uribe, por el desplazamiento; desplazamiento producido tanto por las guerrillas como por los paras, y por las luchas entre unos y otros. También en los meses recientes de Uribe, por todas estas detenciones masivas que hacen que la gente huya y se refugie en las ciudades medianas y en las grandes. En las cuales tampoco hay empleo.

ENRIQUE SANTOS CALDERÓN: El efecto de la apertura económica del gobierno Gaviria sobre el campo tuvo incidencia tremenda en el orden público. La quiebra de tantos agricultores medianos y pequeños, y el consiguiente desempleo campesino, fueron significativos factores de reclutamiento para los grupos armados, particularmente para las FARC, que tuvieron un notable crecimiento después de ese período.

Pero pensando en lo que se viene con el Tratado de Libre Comercio (TLC) con Estados Unidos, hay que preguntarse: ¿qué nos va a volver a pasar en el campo con decisiones que afectarán muchos cultivos tradicionales? Cuando Gaviria y Hommes hicieron la apertura económica, tal vez no tuvieron en cuenta que nosotros éramos un país con un fenómeno viejo y serio de guerrilla rural. Volver a generar quiebra y desempleo en el campo incidirá sobre el conflicto armado.

Hablando del TLC, no veo a Colombia, al Estado colombiano, a la empresa privada colombiana y al gobierno suficientemente preparados para la negociación inminente con la primera potencia comercial del mundo. Negociación que va a determinar el rumbo de la economía colombiana en los próximos treinta años. La improvisación ahí puede ser ruinosa. El TLC puede resultar muy positivo en términos de generación de empleo y crecimiento económico, pero me preocupa que, ante la imposibilidad de competir con la agricultura subsidiada de Estados Unidos, el efecto inmediato pueda ser factor de agudización de las contradicciones del campo y de los factores de violencia.

La droga

ANTONIO CABALLERO: Otro de los efectos perversos de la persecución del narcotráfico ordenada por los gobiernos de Estados Unidos lo vemos en este momento con el proyecto de alternatividad penal de Uribe para los paramilitares. Lo que les preocupa tanto a los políticos como a los periodistas (y, claro está, a los gringos) es, por lo visto, que se cuelen unos cuantos narcotraficantes en la alternatividad penal de Uribe. Es decir: no les preocupa que no pague absolutamente nada el responsable de una masacre de 40 campesinos, pero sí les preocupa que no pague nada el responsable de exportar una tonelada de cocaína a los Estados Unidos.

A mí me parece que es infinitamente más grave como delito, y sobre todo más grave como impunidad, lo del responsable de una masacre que lo del responsable de un delito al fin de cuentas exclusivamente económico, como es el de contrabando de drogas. Porque, entre otras cosas, sabemos perfectamente que lo que mata en la droga no es la droga en sí, sino la persecución a la droga. De eso hasta los ingleses están empezando a darse cuenta, y los ingleses, que están sometidos a los Estados Unidos desde los tiempos de la señora Thatcher hasta estos del señor Blair, están tratando de empezar a cambiar sus leyes. Porque en Inglaterra, antes de que la señora Thatcher aceptara poner las leyes británicas en la onda de los Estados Unidos, no existían prácticamente los drogadictos. Los drogadictos eran algo así entonces como 5.000, cuando eran legales. Ahora, con la ilegalidad, han pasado a ser millones.

ENRIQUE SANTOS CALDERÓN: Mientras la droga siga siendo ilegal y la única respuesta sea la prohibición y el castigo policivo, pues el drama colombiano va a continuar, y lo dramático es que nuestra capacidad, nuestra autonomía para hacer algo es casi nula. Que Colombia declare unilateralmente la legalización o despenalización de la droga es un chiste. Esto llegará tarde o temprano, pero se va a demorar. Los cambios que se ven en Europa y en los propios Estados Unidos en materia de despenalización aún son tímidos. Lo que sigue primando es la visión maniquea y satanizadora. La droga es un factor importante de la política interna de Estados Unidos. Los que se presentan como más duros contra los narcotraficantes son los que más votos sacan. Político que se atreva a sugerir la despenalización comete un haraquiri, queda estigmatizado como aliado de los perversos narcos colombianos, que envenenan a la juventud estadounidense.

Otro aspecto de la política bastante errática de Estados Unidos en relación con Colombia en este momento se refiere a los procesos de negociación con los grupos armados: Estados Unidos respalda al gobierno Uribe, avala las salidas negociadas, pero simultáneamente está pidiendo en extradición a los jefes guerrilleros y a los jefes paras, declarados como terroristas. Más recientemente el Departamento del Tesoro calificó como «grandes narcotraficantes» al Secretariado de las FARC y a 19 líderes paramilitares. Esto reduce drásticamente el campo de maniobra del gobierno colombiano para negociar un proceso de paz con esos grupos. ¿Va a acabar entonces negociando con narcoterroristas? Es una situación bastante absurda, y Colombia va a tener que afirmar alguna autonomía para buscar la paz sin someterse a este tipo de presiones. Ni tampoco a una jurisprudencia penal internacional que ya existe. Y que también complica que Colombia llegue a negociar la desmovilización y la reinserción de todos estos grupos armados. No podemos estar sometidos a lo que diga el juez Baltasar Garzón de España, o a lo que diga un día la DEA y al otro día el Departamento de Estado o del Tesoro. Es un embrollo que pondrá a prueba la soberanía del Estado colombiano para negociar la paz en función de intereses y prioridades nuestras, aunque no coincidan necesariamente con las de Washington o La Haya.

ANTONIO CABALLERO: Dice Enrique —y claro que tiene razón— que Colombia no puede unilateralmente decretar la legalización de la droga. No se trata de eso. Se trata de no desperdiciar tanto esfuerzo, prácticamente todo el esfuerzo del Estado, en la fumigación y persecución del narcotráfico, cuando tenemos problemas mucho más inmediatos y más graves. Pero es que Colombia ha presentado su obediencia a los Estados Unidos en la lucha contra el narcotráfico como si se tratara de un noble sacrificio que hacemos nosotros por la humanidad, sin exigir nada a cambio. Recuerdo que hace ya bastantes años Carlos Lehder, el narcotraficante, decía que la cocaína era la bomba atómica de los pobres. Creo que tenía razón, no en el sentido exacto en que lo decía, sino en otro: en el sentido de que Colombia podría negociar con los Estados Unidos su lucha contra la droga a cambio de algo, como Corea del Norte negocia la suspensión de su programa nuclear a cambio de algo, o como lo hace Irán, o como lo hizo en el caso del opio Turquía. A cambio de erradicar su cosecha de amapola, Turquía exigió a Estados Unidos inmensas ayudas económicas, y las obtuvo. Colombia hace la guerra de los Estados Unidos contra el narcotráfico a cambio de absolutamente nada. Es más, a cambio de su propia destrucción.

Yo creo que en Colombia si hubiera un gobierno con cierta…, no estoy hablando ni siquiera de dignidad, con cierto sentido pragmático, habría utilizado el fenómeno de la droga —tanto la siembra de la coca, de la amapola, de la marihuana, como el negocio mismo del narcotráfico— como una especie de moneda de cambio con los Estados Unidos. ¿Qué tenemos nosotros? Pues eso. Si no nos quieren comprar ni siquiera flores, pues entonces que nos compren la coca, que nos compren nuestra persecución a la coca y al narcotráfico en general. Colombia está haciendo eso gratuitamente, de balde, por generosidad; y, además, pagándoles a los Estados Unidos un poco de plata, de ñapa: les estamos pagando el glifosato con el cual se fumigan las cosechas, les estamos pagando, aunque sea a crédito, los aviones con los cuales se fumigan las cosechas, los asesores que enseñan a volar a los pilotos colombianos, etc. Me parece que ahí hay una imbecilidad, además de un arrodillamiento de los gobiernos colombianos.

ENRIQUE SANTOS CALDERÓN: Ha habido algunas contraprestaciones: las preferencias arancelarias del ATPA para los países que luchan contra el narcotráfico… la masiva ayuda militar…

ANTONIO CABALLERO: Perdón interrumpo: esas preferencias arancelarias las tienen también los países que no luchan contra el narcotráfico porque no lo tienen.

ENRIQUE SANTOS CALDERÓN: Esos países son Bolivia, Perú, Ecuador...

ANTONIO CABALLERO: Sí. Pero quiero decir que otros países, incluida la China, tienen la categoría de socio más favorecido, sin necesidad de luchar contra el narcotráfico.

ENRIQUE SANTOS CALDERÓN: Evidentemente el Estado colombiano no ha sabido sacarle el fruto al sacrificio que ha hecho en la lucha contra la droga; a todos los presidentes realmente les ha faltado hasta ahora plantear eso. Estamos viendo casi todas las solicitudes de extradición: en última instancia es el presidente de la República el que autoriza personal e individualmente todas las solicitudes de extradición. A mí me gustaría ver a un presidente colombiano que dijera: «No, hasta aquí llegó esto. Tenemos otras prioridades». Por ejemplo, ahora están pendientes las solicitudes de extradición de los Rodríguez Orejuela, que supuestamente han traficado desde la prisión. Hay que ver en qué termina esto, porque ya han sido juzgados, pagan condena y no tiene nada de raro que, ante la posibilidad de ser extraditados, decidan prender un gigantesco ventilador para que vuele al zarzo lo que sabemos...

ANTONIO CABALLERO: Según entiendo, la extradición sigue siendo un instrumento bilateral: Colombia también puede reclamar en extradición a delincuentes norteamericanos que hayan cometido delitos en Colombia. Así como los Estados

Unidos piden a los Rodríguez Orejuela porque les parece que no fueron suficientemente castigados en Colombia, o piden a Fabio Ochoa porque les parece que no fue suficientemente castigado en Colombia, yo creo que, por ejemplo, como un caso simplemente simbólico y ejemplar, a algún gobierno colombiano se le podría ocurrir pedir en extradición al coronel Hyett y a su señora. ¿Recuerdan? Esa pareja de diplomáticos a quienes los jueces norteamericanos condenaron simplemente a hacer unas cuantas semanas de «trabajo social» por haber exportado desde la Oficina Antidrogas de la Embajada de los Estados Unidos en Bogotá droga a los Estados Unidos por valija diplomática. Yo creo que, simplemente por razones de dignidad apenas simbólica, eso se podría. Y ni siquiera sería peligroso, pues no creo que el señor Hyett vaya a tomar represalias contra el presidente colombiano que lo pida en extradición.

La extradición

ENRIQUE SANTOS CALDERÓN: La otra cara de la extradición es el problema de la justicia colombiana. Los gobiernos han utilizado la extradición como una aceptación de impotencia ante una justicia que no opera, que está corrupta, que no castiga, por soborno o por intimidación, a los capos del narcotráfico y que tiene unas cárceles de donde se fugan permanentemente. Entonces, como no podemos juzgarlos, extraditémoslos. No estoy justificando la extradición, pero un argumento importante contra la extradición es que funcione la justicia.

La ineficiencia de la justicia colombiana está en la raíz de nuestros peores males. Y es otro factor de violencia: la justicia privada. Pero es que falla hasta la justicia creada específicamente para castigar el enriquecimiento ilícito de mafiosos, secuestradores y criminales de cuello blanco. La ley de extinción de dominio de las fortunas mal habidas duró siete años quieta, lo cual es bien diciente. Ahora se está aplicando más y es un instrumento con un potencial revolucionario enorme. Si la extinción de dominio se aplica como fue concebida, imagine la capacidad de hacer una gran reforma agraria en las tierras de los narcos, de confiscar y aplicar una función social a los capitales de origen ilícito. Pero la artillería jurídica de los narcos, con todos sus abogados, ha sido hasta ahora más eficaz que la justicia del Estado. No ha logrado aprovechar el potencial de esta ley para beneficiar a la comunidad. Estamos viendo algunos casos ahora y hay que esperar que eso se profundice.

ANTONIO CABALLERO: Bueno, por una parte estoy completamente de acuerdo sobre la ineficacia, la impotencia de la justicia colombiana, sobre la inexistencia de la justicia en Colombia. No estoy hablando de la justicia social, sino de que funcione el aparato judicial. Es un problema gravísimo y es causa de muchos males. Pero, dos cosas: por una parte, tampoco creo que la justicia norteamericana sea tan eficaz como dicen. Ni eficaz, ni justa, en el sentido jurídico de la palabra; por ejemplo, es muy diciente que un país que ha estado tan del lado de los Estados Unidos en un tema como el de la guerra contra Iraq, como es la España de Aznar, un país tan entregado y tan dócil, se haya negado en redondo a extraditar a los Estados Unidos a los sospechosos de pertenecer a Al Qaeda. Porque sabe que en los Estados Unidos la justicia no funciona; sabe que esos sospechosos que en España tienen garantías judiciales en los Estados Unidos no las tendrán. Eso por un lado. Por otro, esa ley «revolucionaria» de extinción de dominio es una ley de doble filo. Es cierto que tal vez si se aplicara, si se hubiera podido aplicar en esos ocho años en que no se ha aplicado, se habrían podido quizás recuperar grandes fincas de los narcos, tal vez lo bastante grandes como para hacer una reforma agraria sin molestar a los demás terratenientes.

En fin: esto es pura especulación en el aire, pues la realidad es que eso no se ha hecho. Pero tiene el otro filo, el que sí corta. Y es que desde que existe la extinción de dominio los narcotraficantes han dejado de traer dinero a Colombia; la mayor parte de sus ganancias las dejan ahora en los Estados Unidos, donde la ley no las persigue, sino que las protege. En los Estados Unidos no hay ley de extinción de dominio. La Constitución y las leyes norteamericanas protegen los bienes de los narcotraficantes en los Estados Unidos, como los de cualquier otro ciudadano. Por eso Ernesto Samper, cuando empezó a perseguir a los narcos, pudo explicar: «Si no hay plata en Cali es porque tengo presos a los narcos, y ya no traen la plata». Eso era cierto, y lo sigue siendo.

ENRIQUE SANTOS CALDERÓN: No es cierto que hayan dejado de traer plata al país. Traen mucha plata, compran mucha tierra, tienen muchas propiedades. Con otros métodos, más refinados. Los carteles se han sofisticado mucho. Las épocas del Cartel de Medellín, el de Cali, con esa ostentación y esa arrogancia de poder, son cosa del pasado. Ya no dan esa papaya. De todos modos, no más las propiedades que existen de esa época son enormes, y no se han sabido ni expropiar, ni confiscar, ni aplicar socialmente. La nueva generación de los «cartelitos» es más sofisticada; más fragmentada. Pero el fenómeno económico y de violencia sigue igual. Basta ver la guerra del norte del Valle. Es una expresión de cuán vivo está el fenómeno del narcotráfico. La famosa reducción de cultivos hay que analizarla bien, porque la movilidad del negocio de la economía ilegal de las drogas es casi incontrolable. Se erradica en el Putumayo, se va para el Guainía; se erradica en el Guainía, se va para el Vaupés... con todos los costos ecológicos y sociales que esto conlleva.

Pero no se puede negar que en Estados Unidos hay leyes drásticas contra el consumo. En muchos estados a la persona que capturen comprando droga en un carro le decomisan el carro, le cogen sus propiedades. Hay estados del sur donde el consumo de marihuana es penalizado con diez años de cárcel. No se puede negar que persiguen el consumo, con todo lo ineficaz o contraproducente que pueda ser.

Estados Unidos y la droga

Antonio Caballero: Yo creo que efectivamente las leyes norteamericanas son muy duras con los consumidores de la droga. Me parece que al tercer delito de consumo de marihuana en Nueva York la pena es de prisión perpetua, o cosa por el estilo. Pero lo que no veo o no he visto nunca —no lo veo en la prensa norteamericana ni en la prensa colombiana, que también debería cubrirlo si le interesara de verdad el problema— es que existan capturas de gente importante: aunque hay cientos de miles de presos en los Estados Unidos por motivos de droga, se trata o bien de pequeños consumidores o bien de pequeños negociantes de esquina. Algún piloto. Yo no he visto un gran golpe, con excepción de los que se hacen contra los capos colombianos o contra algún costarricense como ese Matta Ballesteros a quien secuestraron. Efectivamente, la legislación norteamericana es durísima, hasta el punto de que ha hecho que los Estados Unidos tengan el mayor número de presos por cada mil habitantes de la historia de cualquier país, incluso superior al que existía en la Unión Soviética en tiempos de Stalin en el Gulag; incluso superior al que existía en África del Sur en tiempos del Apartheid. Pero eso es gentecita pobre, negros, hispanos. Y no he visto que haya grandes narcotraficantes norteamericanos presos.

Los narcotraficantes, en mi modesta opinión, no son exclusivamente colombianos, u ocasionalmente peruanos. Me extrañaría muchísimo que los norteamericanos, que dominan absolutamente todo, desde la televisión hasta la astronáutica, y desde la producción de gaseosas hasta la de armamentos, se abstuvieran de dominar también la droga. ¿Por ilegal? No se han distinguido mucho a lo largo de su historia por respetar las leyes, como sabemos a través del propio cine norteamericano, para no hablar de la literatura. Me extrañaría muchísimo que el único negocio en el cual no se hubieran metido haya sido el tráfico de drogas. Y no he visto, salvo la condena del mafioso ítalo-norteamericano John Gotti en Nueva York, que no fue por tráfico de drogas sino por asesinato, yo no he visto a ningún capo del narcotráfico norteamericano perseguido, ni preso, ni mucho menos condenado. Luego las leyes que existen allá son para eso: para la parte marginal del negocio de la droga, que es el consumo final en las calles. Pero no para los grandes narcos. O si no, ¿cómo han hecho los Estados Unidos para convertirse en el primer productor y exportador de marihuana del mundo?

ENRIQUE SANTOS CALDERÓN: Yo no tengo información cierta sobre dónde ni cómo se invierte la plata del narcotráfico colombiano, o americano, o boliviano que se queda en Estados Unidos. Además, no se conocen cifras sobre eso, sobre qué tipo de inversiones hacen. Si compran fincas en Texas o invierten en Wall Street. Pero es difícil creer que si Estados Unidos tuviera informaciones precisas sobre eso, no actuara. No creo que el cinismo llegue a ese punto. Yo creo que no saben exactamente cómo se mueve la plata ni dónde se queda.

ANTONIO CABALLERO: Yo sí creo que el cinismo llega a ese punto. Creo que sí saben. Aunque evidentemente es difícil saber exactamente cómo se mueve esa plata, puesto que se trata de una plata clandestina: cuando un negocio es prohibido, es difícil saber adónde va la plata: nadie sabe adónde va la plata de las *snuff movies*, digamos, ni de dónde viene, porque es un negocio clandestino y prohibido, pero es obvio que el dinero existe. De acuerdo, todos los cálculos al respecto son aproximativos, puesto que no hay control alguno sobre eso, pero las Naciones Unidas calculan que más del 90% de las ganancias de la droga, que ellas mismas cifran en 500.000 millones de dólares al año, se queda en los bancos norteamericanos. Yo no sé en qué se invierte: no puedo saberlo yo tampoco. Recuerdo que cuando vivía Pablo Escobar se decía, se murmuraba, que en un momento dado había comprado el 5% de la American Express; no sé si eso sí era cierto o no era cierto. ¿En qué invierten sus ganancias los proxenetas? ¿En putas? ¿En acciones de la General Motors? No sé.

ENRIQUE SANTOS CALDERÓN: Usted no sabe y yo tampoco. Pero volviendo a lo de la obsesión de Estados Unidos con la droga, es evidente que tiene raíces culturales y religiosas, puritanas, calvinistas. Cabe recordar que el fundamentalismo moralista en Estados Unidos condujo a la prohibición del alcohol en los años veinte, y al consiguiente fortalecimiento de la mafia italiana.

Por otra parte, Estados Unidos es una especie de narcosociedad, acelerada, competitiva a morir, adicta a toda clase de estimulantes y excesos. Los niveles de consumo son reales. Sí tienen fenómenos de drogadicción, en los colegios, desde edades muy tempranas, índices de mortalidad por consumo de cocaína, heroína, todo eso. Tienen un problema interno de consumo más acentuado que otros países. Producto en parte de un modo de vida y de cierta tolerancia, cuando no apología, que se hacía en muchos medios de la marihuana, la cocaína, el LSD, la mescalina en los años sesenta y setenta.

ANTONIO CABALLERO: Yo he leído bastante al respecto porque es un tema que me interesa mucho. Porque es un tema de gran hipocresía, pero no es únicamente de hipocresía. Los gobiernos de Estados Unidos empezaron a perseguir las drogas en el siglo XIX, primero a raíz de la guerra de Secesión, de la cual salieron un par de centenares de miles de adictos a la morfina. Pero ese fenómeno fue pasajero. Después, por razones puritanas, por razones moralistas, efectivamente, y sobre todo por razones raciales, porque consideraban que la droga era una cosa de negros, de chinos y de mexicanos que estaban envenenando a la blanca y sana juventud norteamericana, empezaron las grandes prohibiciones de finales del siglo XIX, en tiempos de *Teddy* Roosevelt, que trató de imponerlas en el mundo entero: conferencia de Shangai, etc.

Después eso se abandonó, realmente porque fue cubierto por la prohibición del alcohol, que era mucho más espectacular y afectaba a muchísima más gente. Sólo mucho más tarde, a partir de dos fenómenos más o menos simultáneos de los años sesenta, la «contracultura» del hippismo en las universidades de California y la guerra de Vietnam, donde algo así como el 60 o 70% de los soldados norteamericanos que pasaron por Vietnam se volvieron adictos a una u otra droga, a la heroína, a la cocaína o por lo menos a la marihuana, sólo entonces vino la prohibición en toda regla. En el mismo momento en que vino la masificación del consumo de drogas en Estados Unidos, también impulsado por los ídolos populares, los ídolos de la música, los ídolos del cine.

Prohibir: gran negocio

ENRIQUE SANTOS CALDERÓN: Yo recuerdo a finales de los años setenta una carátula de *Time* en la que aparecía una copa de martini llena de polvo blanco y titulada «*The new middle class high*», o sea, el «martini de la clase media». La cocaína era calificada como la champaña de las drogas. Todo esto terminó por generar terribles excesos de adicción entre la clase media alta, que a su vez desataron una cruzada contra la droga.

ANTONIO CABALLERO: Fueron ellos los que con su ejemplo, con su predominancia cultural universal a través de la música *pop*, a través del cine, a través de su modelo de vida, copiado en todas partes del mundo, masificaron el consumo de drogas en el resto del planeta. Y la prohibición: la prohibición que fueron imponiendo sucesivamente a todos los países, a medida que aumentaba el número de drogadictos de manera general.

ENRIQUE SANTOS CALDERÓN: Son víctimas de su propio invento, en cierto sentido.

ANTONIO CABALLERO: Víctimas y no víctimas. Porque yo no creo que los Estados Unidos tengan verdaderamente un problema de drogas, salvo en los sectores sociales que no les interesan. Los Estados Unidos sí tienen un problema en lo que llaman las *inner cities* de las grandes ciudades; o sea, en las barriadas pobres de negros y latinos. Los *yuppies* de Wall Street que meten cocaína no tienen ningún problema. Porque el problema sólo viene, el verdadero problema de la droga sólo viene cuando no se tiene con qué comprarla. Claro, naturalmente que tiene efectos sobre la salud; pero fundamentalmente lo que tiene es efecto sobre el bolsillo de cada persona. Entonces, un negro desempleado de Harlem tiene que atracar para comprar la droga y, en cambio, un ejecutivo de Wall Street no atraca, físicamente, al menos. Su atraco financiero hace que le sobre la plata para comprar la droga. El problema no existe para las clases altas, ricas, blancas, protestantes, norteamericanas, salvo en su sentido puramente moralista, moralizante, religioso. Digamos que sólo existe para las abuelitas de esas clases altas.

ENRIQUE SANTOS CALDERÓN: Otra cruel paradoja es que el problema del narcotráfico nos lo importaron originalmente de Estados Unidos. Hoy también es nuestro, en la medida en que sí somos el país que produce la mayor cantidad de cocaína, que exporta mucha heroína y que ha creado una cultura de la producción, unas mafias poderosas, un gran negocio ilegal del cual viven decenas de miles de colombianos.

Pero ¿dónde se origina la marihuana, por ejemplo? En Colombia era en los años cuarenta sinónimo de la peor y más degradada delincuencia, y adquiere un estatus social e intelectual en los sesenta, cuando comienza a ser fumada masivamente en las universidades americanas. Luego empiezan a fomentarse por el creciente consumo gringo los cultivos de «marimba» en la Sierra Nevada de Santa Marta —la tan cotizada «Santa Marta Gold»—. Fue el inicio del narcotráfico.

Antonio Caballero: ¿Qué pasó a continuación? Los Estados Unidos decidieron obligar a los gobiernos de Colombia a fumigar la Sierra Nevada, destruyendo y envenenando con Paraquat miles de hectáreas. Y el negocio de la marihuana en Colombia, después de haber generado una pequeña bonanza, se trasladó a California, a Oregon, a Hawai; en este momento los Estados Unidos son el principal productor y el principal exportador de marihuana en el mundo. Exportador, entre otras cosas, porque la marihuana tanto mexicana como colombiana fue fumigada y, en consecuencia, puede ser venenosa; la marihuana en California nunca se ha fumigado porque eso lo prohíben las agencias del medio ambiente en los Estados Unidos.

Enrique Santos Calderón: Además, desarrollaron todas las técnicas de la «sin-semilla», tailandesas, colombianas, mexicanas, en talleres hidropónicos, en garajes, en parques naturales no fumigables...

Penalización y legalización

ENRIQUE SANTOS CALDERÓN: Ahora, qué tal esa pretensión absolutamente absurda, del gobierno colombiano, de meter en el referendo la penalización de la dosis mínima... Un retroceso impresionante, cuando la tendencia en todos los países evolucionados es en dirección contraria.

ANTONIO CABALLERO: En ese tema yo creo que sí, que la responsabilidad es de los gobiernos. No solamente el de Uribe, aunque Uribe ha llegado al extremo caricaturesco. Todos los demás también, desde hace 25 años. Y yo creo que la prensa colombiana y los medios de comunicación nunca se han atrevido tampoco a llevarles la contraria a los Estados Unidos en el sentido de decir que el problema de la droga no es ése, no es como lo pintan, ni es como lo están señalando, y que a Colombia la persecución de la droga le está haciendo mucho más daño que el que le haría su legalización. Aquí no se ha dado ese debate nunca, como sí se ha dado, por ejemplo, en Gran Bretaña, en Alemania, en Francia, incluso en España.

ENRIQUE SANTOS CALDERÓN: Generalización injusta y arbitraria. No respondo por los demás medios, pero en el caso mío, en el de *El Tiempo*, le puedo citar varios editoriales cuestionando la estrategia antinarcóticos de Estados Unidos y declarando como «inganable» la guerra contra la droga así planteada.

ANTONIO CABALLERO: Reconozco el cambio de posición histórica de *El Tiempo*. Pero recuerdo justamente que hace un par de años, cuando salió el primer editorial sobre esto, a mí me asombró (y escribí al respecto) el hecho de que *nadie* lo hubiera comentado.

ENRIQUE SANTOS CALDERÓN: Hay una inhibición por el macartismo. El temor a ser señalado como amigo de los narcos o de la drogadicción juvenil, o como enemigo de Estados Unidos, y en este país, que sufrió la barbarie terrorista de un Pablo Escobar o un Rodríguez Gacha, pues esto pesa en la conciencia pública. Síntoma de nuestra dependencia, no sólo económica sino mental, es la carencia de debates serios e informados sobre las alternativas de la despenalización. Pero hay que comenzar a marcar posiciones y a distanciarse de una guerra sin salida.

ANTONIO CABALLERO: Lo malo es que en este tema estamos prácticamente de acuerdo.

(Pausa y risas)

ENRIQUE SANTOS CALDERÓN: Y es que lo han hecho muy a medias. Tampoco se han atrevido mucho, y si no se atreven ellos, ¿cómo vamos a poder nosotros? En Holanda, en Suiza, en Inglaterra, en España se han dado pequeños pasos de despenalización experimental, pero falta...

JUAN LEONEL GIRALDO: *Hoy se presentan como un fracaso...*

ANTONIO CABALLERO: Efectivamente son un fracaso porque las penalizaciones locales no funcionan. Es decir, lo que pasa en Ámsterdam: existen cafés que venden marihuana libremente, y entonces Ámsterdam se llena de marihuaneros de toda Europa.

ENRIQUE SANTOS CALDERÓN: Lo que pasó en Zúrich con el famoso «parque de las agujas».

ANTONIO CABALLERO: Eso no puede ser normal. Digamos, la diferencia, entre otras fundamental, con la prohibición del alcohol en los años veinte, es que la prohibición del alcohol sólo imperó en Estados Unidos; en el Canadá no y en México no, con lo cual hubo introducción de alcohol de contrabando, además de la fabricación de alcohol ilegal en los Estados Unidos. Y la introducción de alcohol de contrabando hizo grandes fortunas, volvemos a repetir, los Kennedy, el viejo Joe Kennedy que hizo una fortuna importante introduciendo alcohol del Canadá, justamente porque el alcohol seguía existiendo en Canadá, seguía existiendo en Europa, seguía existiendo en México. Canadá y México, es decir, los dos vecinos fronterizos de los Estados Unidos.

ENRIQUE SANTOS CALDERÓN: Y quienes controlaban la venta ilegal de alcohol se enriquecieron monstruosamente…

ANTONIO CABALLERO: Pero dentro de los Estados Unidos exclusivamente, justamente porque era una prohibición local, no mundial. Los Estados Unidos en los años veinte no tenían la capacidad de imponerle a Francia que arrancara los viñedos o al Japón que renunciara al sake. En este momento los Estados Unidos sí son capaces de imponerle al mundo entero que no consuma cocaína o heroína, o las drogas que no fabrican los Estados Unidos. Porque el Prozac, aunque puede ser más dañino, se vende en las farmacias.

JUAN LEONEL GIRALDO: *Es decir, estamos en un presente donde la posibilidad de la legalización es imposible ante la política predominante de Estados Unidos.*

ANTONIO CABALLERO: Sólo cuando cambie la política de los Estados Unidos será posible la legalización, evidentemente. Pero lo que pueden hacer los demás países es no tomarse demasiado en serio la persecución. Estoy convencido de que a Colombia le cuesta muchísimo más la persecución de la droga que lo que le costaría cerrar los ojos. Y le cuesta no sólo en términos de corrupción, de sobornos, de muertos y de poderío de las mafias, sino incluso en plata.

ENRIQUE SANTOS CALDERÓN: Difícil cerrar los ojos cuando el garrote (y a veces la zanahoria) del Tío Sam nos impide cualquier sueño idílico.

JUAN LEONEL GIRALDO: *La legalización de la droga, o el que se llegara a producir, como en el caso de la marihuana, toda en territorio norteamericano, produciría un colapso, por lo menos momentáneo, en la economía del país...*

ANTONIO CABALLERO: La droga ha sido un instrumento de doble efecto en Colombia: por un lado, le ha traído muchísimo dinero, durante muchos años mantuvo la construcción, ha servido para recuperar tierras agrícolas abandonadas por los terratenientes ausentistas de antes. Pero a la vez el costo ha sido infinitamente mayor. No sólo en términos de destrucción física, de ríos, de bosques, de páramos, de selvas, sino en muertos. Y, por supuesto, en el impulso dado a todos los actores del conflicto, como se llaman tanto los paras como las guerrillas. Y en corrupción.

ENRIQUE SANTOS CALDERÓN: Uno de los efectos más devastadores de la economía ilegal de la droga ha sido la corrupción en todos los niveles de la sociedad colombiana. La perversión de valores, de la ética del trabajo...

ANTONIO CABALLERO: Hablando únicamente del problema de la destrucción de la justicia: aquí los narcotraficantes mataron a todos los jueces que no se dejaron comprar, lo cual quiere decir que en Colombia sólo tenemos jueces corrompidos o mártires. No todo mundo es un mártir, como es natural. Es tan fácil dejarse comprar por un narcotraficante, como dejarse comprar después por un político o por un negociante. Cuando alguien se corrompe ya no se «descorrompe»: no hay ex corrompidos.

ENRIQUE SANTOS CALDERÓN: Lo terrible es que los métodos que introdujeron quedaron implantados. Lo que pasa hoy con los periodistas: la mafia del narcotráfico de los años ochenta introduce el asesinato como elemento para silenciar a una prensa que los denunciaba. Eso lo aprendieron después la guerrilla, los paras y hasta los políticos corruptos, que se han convertido en creciente factor de violencia contra la prensa. Aprendieron a pescar en el río revuelto del conflicto, a que se puede matar impunemente a los periodistas, y se dedican a saldar cuentas con quienes los han denunciado. Todo eso es una metodología que instauró la mafia y que aprendieron los demás.

Antonio Caballero: El caso éste del muchacho de *La Patria*, ¿cómo se llama?

Enrique Santos Calderón: Orlando Sierra. Ningún muchacho: el subdirector de *La Patria* de Manizales. Asesinado a mediodía en pleno centro de la ciudad, delante de su hija de diecinueve años, con el sicario capturado ahí mismo... Y esta muerte, hace ya dos años y pico, sigue impune en su autoría intelectual. Una impunidad aberrante, que es la que alimenta la violencia contra la prensa.

2

La actualidad

Chantaje armado y corrupción

JUAN LEONEL GIRALDO: *Enrique habló de un fenómeno nuevo, una especie de realinderamiento de los poderes locales ante el vacío dejado por los grandes partidos y ante los avances del terrorismo...*

ENRIQUE SANTOS CALDERÓN: Lo que yo mencionaba antes que está ocurriendo en muchos departamentos, sobre todo del norte, es la consolidación de una tripleta siniestra de narcos, paras y gamonales, que está teniendo expresiones políticas bien inquietantes. Se vio en las últimas elecciones de octubre. En el departamento del Magdalena, por ejemplo, donde se evidenció todo un proyecto político para imponer sus candidatos a la brava. Basta ver el porcentaje enorme de candidatos únicos en los municipios, fiel reflejo de la intimidación que se dio. Lo mismo en el del Cesar, donde el número de votos en blanco fue impresionante y reflejó una protesta de un electorado que se sentía amedrentado y que rechazaba la imposición de candidatos únicos. Han llegado a tal punto de control que en algunas zonas el «para-narco-gamonalismo» permitía que se presentaran dos y hasta tres candidatos a alcaldías o concejos. Pero todos de la misma cuerda. Situación similar se vive en Bolívar, Córdoba, La Guajira y se está replicando en muchas regiones del país.

ANTONIO CABALLERO: También del otro lado ocurre lo mismo: las FARC y el ELN también controlan candidatos en muchos sitios: en el Meta, en norte de Boyacá, en Santander del Sur, en los dos Santanderes realmente. En todo el país se está viendo un fenómeno de control creciente de los políticos por los grupos armados, sean paramilitares o sean guerrilleros. Eso es muy inquietante, puesto que hace una burla completa de lo que es el hecho electoral. Es decir, esa única legitimación a la que acude el Estado colombiano cada cuatro años o cada dos años está sometida al poder de las armas. Pero da la impresión de que eso no les importara ni a las autoridades políticas centrales, ni tampoco mucho a los medios de comunicación. *El Tiempo* ha denunciado varias veces esto de los paras y también esto de la guerrilla y los candidatos; pero por ejemplo uno no lo oye mucho en la radio. Porque tal vez la radio es un medio más peligroso.

ENRIQUE SANTOS CALDERÓN: El problema es especialmente dramático en las pequeñas emisoras de provincia, en las emisoras comunitarias, muchas de las cuales ya no se atreven a pasar noticias, sino sólo música. Estos periodistas y estos medios de comunicación son totalmente indefensos, vulnerables, sometidos al fuego cruzado de paras, guerrilleros o narcos en las zonas de conflicto. Los diarios locales, por complicidad política o por temor físico, muchas veces no denuncian este fenómeno.

En otras regiones, como menciona Antonio, el fenómeno es a la inversa. En el Caquetá, por ejemplo, donde las FARC han asesinado a tres periodistas de una misma emisora, aplican exactamente la misma metodología —el que no está conmigo está contra mí— y periodista o político que no entra en el juego es eliminado. Cabe recordar la directiva que lanzaron las FARC prohibiendo la participación en elecciones locales y condenando a muerte a quien lo hiciera; obviamente no pudieron imponerlo, pero sistemáticamente uno ve asesinatos de concejales y alcaldes que escasamente alcanzan a salir en la prensa, pero que obedecen a eso: a unas implacables campañas de control político por parte de la guerrilla y de los paras.

ANTONIO CABALLERO: Recuerdo que hace bastantes años ya, López Michelsen explicó el aumento de la corrupción en Colombia por el aumento de la riqueza. Colombia no era un país corrupto porque no había plata para repartir. Ahora que hay más plata para repartir es un país más corrupto. Efectivamente, el Estado colombiano ahora tiene mucha más plata que hace 40 u 80 años. Pero lo que hay es también una ausencia casi completa de control por parte de los organismos de control. Vemos lo que está pasando ahora en la Fiscalía bajo Luis Camilo Osorio, pero yo creo que eso viene incluso desde antes, probablemente desde los tiempos del fiscal De Greiff. Desde que la Constituyente de 1991 creó la Fiscalía no ha habido ninguna manera de controlar a quien la maneja; y como se da el caso de que es un organismo poderosísimo y con muchos miles de funcionarios, el resultado es que se ha vuelto el organismo de control que más ha fallado en Colombia en los últimos años.

ENRIQUE SANTOS CALDERÓN: Lo de la Fiscalía ya produjo hasta protestas en los Estados Unidos, que pusieron el grito en el cielo: ¿qué está pasando? Human Rights Watch denuncia el desmonte de la Unidad de Derechos Humanos; no progresan las investigaciones relacionadas con paramilitares; estallan casos de corrupción en la expropiación de bienes de narcos en el norte del Valle; para no hablar de casos tan grotescos como lo del Rolex del destituido director nacional de Fiscalías o de la sospechosa «renuncia» del director del Programa de Protección de Testigos.

Grave, muy grave, que un organismo tan importante y poderoso, el eje fundamental de la investigación judicial en el país, manifieste estos síntomas. Así no pueden prosperar las investigaciones de los grandes crímenes. Es el reino de la impunidad. Como en el caso del asesinato de periodistas, no hay un solo autor intelectual preso por los más de treinta periodistas asesinados por razones de oficio en los últimos cinco años.

ANTONIO CABALLERO: En eso yo creo que no hay ninguna novedad: ningún asesinato político en Colombia desde los tiempos del mariscal Sucre ha sido solucionado. Ni el de Sucre, ni el de Uribe Uribe, ni el de Gaitán, ni el de Galán, ni el de Álvaro Gómez. Bueno...

Enrique Santos Calderón: En el de Galán sí se identificó la autoría intelectual de Pablo Escobar y Rodríguez Gacha, aunque se hizo público cuando ya estaban muertos. El caso de Álvaro Gómez Hurtado es dramático, porque estamos otra vez en ceros. Se echaron para atrás las capturas y acusaciones que se habían hecho, algunas de las cuales tendían a vincular a elementos del Ejército. Ahora se dice que fueron los narcos, pero esa investigación también quedó en pañales, y no suena muy convincente. Si no se avanza en investigaciones por magnicidios como el de Gómez Hurtado, pues qué justicia pueden esperar el periodista de provincia, el líder comunal, el dirigente sindical...

Juan Leonel Giraldo: *Hoy es desenfrenada la corrupción, son más las empresas del Estado saqueadas...*

Enrique Santos Calderón: Más dramático, más generalizado. Hay más recursos y más posibilidades de robar. Y como lo demuestran Foncolpuertos, Dragacol o el «cartel de las pensiones» en el Distrito Capital, se han inventado los más increíbles métodos para saquear el erario.

Antonio Caballero: Influye mucho la corrupción de la justicia en Colombia. Comenzó con los narcos: a los jueces no corruptibles los asesinaban, y un juez que es corruptible por un narco, también es corruptible por cualquier otro tipo de soborno. De las secuelas más nefastas del narcotráfico fue la corrupción de la justicia: plomo o plata.

ENRIQUE SANTOS CALDERÓN: Ya lo habíamos mencionado. Una de las secuelas más nefastas del narcotráfico fue cómo generalizó la corrupción: el plomo o plata. Lo de la plata creó toda una escuela...

¿Nuevas fuerzas?

JUAN LEONEL GIRALDO: *Pasemos a la política, al imposible y azaroso ejercicio de la política en medio de todo este maremágnum de terror, droga, corrupción. ¿Qué hay de los partidos tradicionales, de las nuevas fuerzas?*

ANTONIO CABALLERO: Últimamente se habla muchísimo de la desaparición de los partidos y el surgimiento de nuevas fuerzas. Eso empezó hace bastante. Ahora hay partidos que tienen nuevos nombres —Nueva Colombia, Sí Colombia—. Pero esos partidos ya hace bastantes años existen: los partidos de los cristianos, etc. Me acuerdo del Partido Metapolítico o Metafísico de Regina 11 hace ya bastantes años, o del Partido Visionario de Mockus. Pero sobre todo existen desde que los partidos tradicionales, Liberal y Conservador, empezaron a dividirse en montones de pequeñas organizaciones personalistas. Cuando el Partido Liberal presentaba 147 listas distintas con 147 jefecillos: una la lista santofimista en el Tolima, etc.

En el Partido Conservador sucedió lo mismo: hace muchísimos años el ex presidente Misael Pastrana propuso el cambio de nombre, de Partido Conservador a Partido Social Conservador. Eso se nos olvida, pero desde hace por lo menos 25 años los partidos tradicionales en Colombia han desaparecido como partidos, como organizaciones políticas nacionales, de cubrimiento nacional. Alberto Lleras dice en sus memorias que en realidad lo único que unificaba a Colombia eran las guerras civiles, era lo único que ocurría a escala nacional en Colombia y era lo único que les daba sentido a los colombianos. Un sentido de pertenencia nacional. Y esa pertenencia se la daba efectivamente el enfrentamiento entre los dos partidos, el Liberal y el Conservador. Eso ha desaparecido hace bastantes años.

ENRIQUE SANTOS CALDERÓN: Eso comienza en 1957 con el Frente Nacional y la pérdida de identidad de los dos grandes partidos históricos, por la forma como entran a repartirse el poder. Se terminó la fiscalización del gobierno por el partido de la oposición. Y por otro lado se instauró la exclusión política de partidos diferentes al Liberal y al Conservador.

Pero el país buscaba nuevas fuerzas, como lo demostró el fenómeno del MRL, de la Anapo, del Frente Unido de Camilo Torres y el surgimiento de grupos guerrilleros (ELN, EPL, etc.) que justificaban la lucha armada porque no había real democracia política.

Hoy la cosa es bien distinta. La Constituyente y la Reforma Constitucional de 1991 fueron una profunda apertura política que produjo una explosión de movimientos y partidos, que no tenían que ser apéndices del Liberal ni del Conservador, y nos fuimos al otro extremo. Hoy en Colombia hay registrados 70 partidos políticos. De ahí la necesidad de un umbral, de un porcentaje mínimo de votos que debe sacar un grupo político para tener una vida legal como partido y que aunque se aprobó como ley, a mi modo de ver quedó bajito: el 2%, cuando debería ser del 5%. Con el umbral vigente, vamos a quedar con unos seis o siete partidos. Desaparecerán, por fortuna, muchos de esos partidos de garaje. Es una forma de ponerle algo de control a esa atomización impresionante, de grupos unipersonales, que vuelve inmanejable una democracia. Parte de la crisis del Estado colombiano obedece a que no hay partidos fuertes; que tengan coherencia doctrinaria, militancia disciplinada; bancadas parlamentarias que obedezcan a unos compromisos programáticos...

Ahora bien, el intento de crear un partido uribista desde el gobierno sería tan novedoso como peligroso. Un presidente, candidato liberal disidente, que le gana al candidato oficial del Partido Liberal, en primera vuelta además, y que desde el gobierno intenta crear un partido propio y de paso montar su reelección, eso puede significar un quiebre bien impredecible en nuestra tradición política. No tenemos precedentes cercanos de una situación como la que se puede estar conformando. Pero yo no creo que, como están las cosas, el Congreso le jale a la reelección de Uribe. Salvo que el presidente se dedique a hacer un clientelismo a la vieja usanza, a presionar uno a uno a los parlamentarios que hagan falta, a ofrecerles toda clase de puestos y asegurar de nuevo su reelección. Lo cual, además de contradictorio con lo que ha prometido, me parecería bastante grave para el futuro del juego político democrático en Colombia.

Son iniciativas que están muy basadas en la popularidad de Uribe, que se fundamenta a su vez en las ansias de seguridad que él ha interpretado. Pero si se dedica a reelegirse, va a enredar totalmente su gestión de gobierno. La agenda de reformas claves que está sobre el tapete me parece en el fondo incompatible con la agenda de la reelección.

ANTONIO CABALLERO: Yo no estoy muy de acuerdo con todo eso. Estoy de acuerdo, sí, en que una reelección de Uribe podría ser una cosa muy grave, pero es que no creo que haya el menor peligro de que esa reelección ocurra. De la misma manera que nunca creí que pudiera pasar el referendo de Uribe a pesar de que Uribe efectivamente recurrió a todo tipo de recursos gamonalistas y demagógicos para hacerlo pasar. Y no pasó. Cuando se habla de la gran popularidad de Uribe, se está hablando de la gran popularidad de *la esperanza* que despertó Uribe con su promesa de mano dura; pero esa popularidad no se reflejó en la votación del referendo. Es decir, Uribe se la jugó toda por el referendo, dijo que era una cosa absolutamente crucial para el país, no llegó hasta el extremo de amenazar con su renuncia si el referendo no pasaba, pero casi. Y el referendo no pasó y no pasó absolutamente nada. No veo por qué ahora vaya a ser aceptado algo tan estrambótico como la reelección de Uribe: ni en el caso de que eso se sometiera también a otro referendo, ni tampoco en el de que se presentara al parlamento. Creo que eso es simplemente una de esas distracciones en las cuales caemos los colombianos permanentemente, discutiendo lo que no toca y dejando de discutir lo que toca.

Por otra parte, las reformas me parecen más graves. Porque efectivamente el gobierno de Uribe puede impulsar una serie de reformas: pero no sabemos cuáles son, porque son secretas. Puso a nueve partidos —o partiditos, entre ellos el Liberal y el Conservador, Nueva Colombia, Fuerza Colombia, Viva Colombia, Adelante Colombia— a que firmaran un papel en blanco; y son tan tontos que lo firmaron. Todos los gobiernos de Colombia desde que yo recuerdo (y aun desde mucho antes, por lo que he leído en los libros de historia), lo primero que se han propuesto es reformarlo todo. Reforma de la justicia, reformas tributarias (dos o tres por cuatrienio), reformas electorales, de la educación, de la Constitución entera. Y lo cierto es que en la mayor parte de los casos, salvo en los momentos en que el gobierno de turno ha sido triunfador en una guerra civil, no han podido reformar nada.

Las reformas

ENRIQUE SANTOS CALDERÓN: Un momentico, por favor. La reforma de 1991 fue una reforma de fondo.

ANTONIO CABALLERO: Más que la reforma, la Constituyente que la hizo. La primera reforma pactada de toda la historia de Colombia.

ENRIQUE SANTOS CALDERÓN: La reforma de 1991 constituyó una apertura política trascendental y, en teoría, la nueva Constitución, con sus trescientos y pico de artículos, que consagran todos los derechos imaginables, es una reforma perfecta; surge el «Estado social de derecho», producto de una Asamblea Constituyente con participación de una insurgencia reinsertada, que en estos trece años ha tenido un impacto innegable en la institucionalidad colombiana. Pero volviendo a Uribe y al referendo y a la reforma, es evidente que se jugó a fondo y sobreestimó su popularidad o su capacidad de convocatoria. Pero es que el pueblo colombiano no es bruto. Y un referendo tan confuso y torpemente concebido en sus propuestas llamaba a mucha gente a votar en contra de sí misma. Pero se creía que la popularidad de Uribe iba a descender por eso y, no, siguió en aumento.

ANTONIO CABALLERO: Medida en las encuestas.

ENRIQUE SANTOS CALDERÓN: Sí, y ¿cómo más se la mide? Decir que las encuestas mienten me parece una tontería y todas coinciden en que después del referendo la popularidad de Uribe incluso subió, lo cual desconcertó a más de uno. Y esto, creo, lo lleva a cometer un segundo error. Hablo del segundo porque la convocatoria del referendo fue un primer error. No era una prioridad, implicaba el peligro de un agudo desgaste político y personal, su costo era enorme; distrajo la atención de problemas más serios, etc. Y ahora al ver que su popularidad sigue intacta, es cuando comienza a lanzar estos globos de ensayo sobre partido propio y la reelección, lo cual me parece otra inquietante desviación de prioridades: meter al país en semejante debate cuando hay tantos problemas urgentes por resolver es una equivocación mayúscula. Repito que no creo que un proyecto de reelección pase en el Congreso, pero no deja de ser alarmante ver al gobierno gastando tanta energía en esto y tan embelesado con sus niveles de popularidad.

ANTONIO CABALLERO: Interrumpo. Yo no creo que la popularidad del presidente, cierta o falsa, sirva para convencer al Congreso de nada: le da igual. El Congreso colombiano desde hace muchísimos años sólo se maneja mediante la fuerza o mediante el soborno. No sé quién recordaba en estos días que cuando el presidente Mariano Ospina Pérez tuvo problemas con el Congreso lo cerró y cuando el presidente Ernesto Samper tuvo problemas con el Congreso lo compró. Esa es la manera como se maneja el Congreso en este país, y no mediante la popularidad que pueda tener o no el presidente. O con los fusiles, o con los puestos. O bien con los auxilios parlamentarios, como se viene haciendo desde los tiempos de Carlos Lleras Restrepo.

ENRIQUE SANTOS CALDERÓN: Bueno, me está dando la razón. Existe la posibilidad de comprarlo, de sobornarlo, de presionarlo con firmas y encuestas, o de domesticarlo con puestos, y si Uribe se empeña en eso podría sacar adelante su reelección. Y no se equivoque: la popularidad de Uribe existe. No es que vaya a ser eterna, porque no hay nada más volátil que la opinión pública, pero que es popular, es popular.

ANTONIO CABALLERO: Yo recuerdo (no sé si lo dijimos la otra tarde), pero yo recuerdo que el presidente más popular que ha habido en este país durante sus primeros cuatro años de gobierno ha sido el general Gustavo Rojas Pinilla. Hasta que planteó su propia reelección. Y entonces lo derrocaron.

ENRIQUE SANTOS CALDERÓN: No le duró tanto y su declive obedeció a varios factores de desgaste: la matanza de los estudiantes, las fincas ganaderas, la censura de prensa, los sucesos de la plaza de toros de la Santamaría, etc. Su pretensión de perpetuarse en el poder también, por supuesto. Pero el paralelo es forzado y en el caso de Uribe lo crucial será cómo defina su estrategia y prioridades en el 2004. Un año no electoral, y muy propicio para que el gobierno defina qué reformas quiere pasar. Para que muestre al lado, de su popular política de seguridad, cuál es su estrategia en el campo social, agrario, económico o en el judicial. La reforma de la justicia es un tema que está al orden del día.

ANTONIO CABALLERO: Perdón, ¿cómo la vamos a reformar? Todo mundo está de acuerdo en que la justicia colombiana no funciona y necesita cambios de fondo. Pero ¿cuáles son esos cambios y cómo se van a hacer?

ENRIQUE SANTOS CALDERÓN: Habrá que conocer en detalle el proyecto y cómo se plantea el debate. Ya hay una gran polémica, y la Corte Constitucional va a defender con patas y manos sus fueros y el Consejo de la Judicatura —ese elefante blanco— los suyos. Y la Fiscalía adoptaría el sistema acusatorio y la tutela sufriría reglamentaciones. Muchas cosas pueden pasar o no pasar.

Lo que es evidente para todo el mundo es que la justicia aquí no funciona y ésta es una de las causas básicas de la crisis colombiana. El proyecto para modernizar el Estado —la ley antitrámites, etc.— es algo elemental. Se cayó la vez pasada bajo Pastrana por errores de forma en este país santanderista. Pero, también, porque no a todos los congresistas les conviene acabar con la tramitomanía.

ANTONIO CABALLERO: Todas esas cosas en apariencia aberrante o absurdas tienen defensores porque tienen intereses detrás. Por ejemplo, posiblemente sea Colombia el país del mundo donde se necesita hacer más trámites ante notario. Pero es porque los notarios son un gremio sumamente poderoso.

ENRIQUE SANTOS CALDERÓN: Detrás de cada trámite hay algún interés específico, es cierto. Por eso, cuando se debata la ley antitrámites, habrá que estar muy pendientes de quiénes se oponen y por qué. Es que la tramitomanía es una de las vainas que tienen a este país asfixiado. En Colombia para hacer un negocio, para montar una empresa, incluso para invertir plata del exterior, toca hacer decenas de trámites que toman mínimo noventa días. Es una cosa de locos.

ANTONIO CABALLERO: Es una «cosa de locos», salvo para quienes se benefician de ella. Como decían hace 30 años de la tierra: «El trámite para quien lo trabaja».

ENRIQUE SANTOS CALDERÓN: Entonces tocaría identificarlos y denunciarlos.

ANTONIO CABALLERO: De todas maneras yo creo que hay una cosa importante con respecto a las reformas que se han hecho en Colombia. Se han hecho millones y millones de reformas. Se han hecho en el papel, pero en la práctica las cosas han seguido siendo distintas de como lo dice el papel: de como lo dicta la ley o la Constitución. Lo mismo que ocurre con la de 1991 ocurría con la de 1886: una Constitución que prácticamente jamás fue aplicada, salvo en sus artículos transitorios o de excepción. Recuerdo que vivimos en estado de sitio durante los últimos 50 años del siglo XX. Como habíamos vivido bajo estado de sitio entre el año 1886, cuando se promulgó la Constitución, y el año 1910, creo, cuando la caída del presidente Rafael Reyes. Yo no creo que la Constitución de 1886 estuviera verdaderamente vigente más de cinco o siete años de todos los ciento y pico que duró en el papel.

Lo mismo sucede con la Constitución de 1991: será bonita o fea, larga o corta, pero lo único que sé con total certidumbre es que es inocua, puesto que no se aplica. Y al revés, creo que lo que gusta —a unos, a otros no nos gusta— de la política llamada «de seguridad democrática» del presidente Uribe no son los proyectos de ley que está tratando de hacer aprobar en el Congreso, su Estatuto Antiterrorista, etc. Sino el hecho práctico de que efectivamente se está invirtiendo mucha más plata en seguridad que nunca. Inclusive plata mal invertida, como en esto de los tanques que le acabamos de comprar (no, no le «acabamos»: que el Ministerio de Defensa le acaba de comprar) a España para, según el ministro de Defensa, «combatir el narcotráfico y el terrorismo». Como si alguien pudiera creer que los tanques sirven para perseguir a Tirofijo en las selvas impenetrables del Caguán o para perseguir a los Rodríguez Orejuela en donde sea que estén haciendo sus negocios.

Lo que cuenta en el proyecto de seguridad de Uribe son sus efectos prácticos. No los proyectos periódicos de la popularidad.

ENRIQUE SANTOS CALDERÓN: Pero su popularidad se ha sostenido porque ha habido un descenso real en los índices de inseguridad. La gente se siente más segura y esa percepción fortalece a Uribe. Pero insisto en que su gobierno debe complementar los éxitos de su política de seguridad con logros concretos en otros campos. Por eso digo: al margen de la estrategia militar de Uribe, ¿cuáles son sus prioridades en materia de reformas política, económica, social, etc.? El problema tributario, por ejemplo, que requiere de una reforma de verdad estructural. Es que todos los años no puede haber reforma tributaria en Colombia. Son paños de agua tibia para sacar más impuestos de afán. Porque no alcanzó la anterior; porque el déficit fiscal crece y crece en un país donde el Estado no recorta gastos y donde no tributan sino 400.000 colombianos y donde la evasión es monstruosa.

ANTONIO CABALLERO: Pero volvemos a lo mismo. No es que no tributen porque no existan las leyes para que tributen, sino porque esas leyes no se aplican.

ENRIQUE SANTOS CALDERÓN: No sólo por eso. Es que además las leyes son absurdas. El sistema tributario es una maraña de normas incomprensibles. Hasta pagar impuestos es una proeza. Eso no hace sino fomentar la evasión. Uribe debería aprovechar su popularidad para cambiar la estructura tributaria del país, para eliminar la tramitomanía, para impulsar una real reforma de la justicia.

Vamos a ver si lo hace y cómo lo hace. Puede comenzar a patinar si se engolosina demasiado con sus apetitos reeleccionistas. Tiene hasta mediados de 2005 para demostrarlo. A menos, claro está, que el Congreso apruebe su reelección y que millones de colombianos firmen peticiones en este sentido.

La reelección

ANTONIO CABALLERO: Además me da la impresión a mí de que Uribe está gobernando (esto de la reelección, etc.) para su segundo período, y dejando de gobernar en su primero. Está dedicando todos sus esfuerzos, todas sus energías y las energías también de sus ministros y de sus ex ministros, a garantizarse o bien su propia reelección, su propia continuidad, o bien en todo caso la continuidad de su política que él llama «de seguridad democrática». Pero, entre tanto, la realidad va por otro lado. Como hace un momento decía, lo que está teniendo efecto en la política de seguridad no son los proyectos de reforma de la justicia y el estatuto antiterrorista, sino el hecho simple de que está metiéndole mucha más plata a la seguridad que sus predecesores: que hay más pie de fuerza de la Policía y en consecuencia se ha podido enviar policía a 200 o 300 municipios del país donde no la había desde hace muchísimos años; que haya soldados campesinos y, en consecuencia, se pueda tener un apoyo, digámoslo así, para el ejército profesional que se está formando también con plata, pagándoles a los soldados profesionales un sueldo. Aunque a la vez, para ahorrar, se les estén disminuyendo de una manera perfectamente absurda las pensiones a los mutilados de guerra. Digo absurda porque así nadie va a querer que lo sigan mutilando; el efecto psicológico que eso pueda tener sobre el Ejército me parece gravísimo.

ENRIQUE SANTOS CALDERÓN: Tengo entendido que fue una metida de pata de algún tecnócrata de Minhacienda, y eso ya se corrigió. Era una incongruencia monstruosa en un país en guerra, donde los soldados y policías son los defensores de primera línea de un Estado de Derecho que mal puede hacerles estas trastadas.

ANTONIO CABALLERO: A mí me parece muy bien que le meta plata a eso porque efectivamente la seguridad se logra fundamentalmente con plata. En mi opinión, más fundamentalmente con plata que con cambios en las leyes. Creo que esos cambios en las leyes que, entre otras cosas, son copiados un poco de todas las cosas que están imponiendo las leyes patrióticas en los Estados Unidos, el señor Ashcroft y el señor Bush, por supuesto; y el ministro del patriotismo, el ministro de la patria. Esas nuevas leyes para lo que sirven es para que se cometan aún más abusos que los que ya se cometen en Colombia con unas leyes que prohíben tales abusos. Leyes que amparen esos abusos me parece que no sólo son innecesarias sino que son contraproducentes y, en cambio, me parece que meterle plata a la seguridad sí es una cosa útil. Pero volvemos a lo mismo que decía: como la mayor parte de esa plata se la meten a los intereses de los Estados Unidos, o sea a defender el oleoducto de Caño Limón y a combatir el narcotráfico, se va en pura pérdida.

ENRIQUE SANTOS CALDERÓN: Esos recursos se pueden invertir mejor. Lo de los tanques españoles es casi caricaturesco. Aunque su costo fue mínimo, mantenerlos no lo será. Son unos armatostes de los años setenta cuyo destino era el «soplete», como dijo un español.

ANTONIO CABALLERO: Son 46 millones de dólares, tampoco es que sea tan mínimo.

ENRIQUE SANTOS CALDERÓN: No. Son 46 tanques, cuyo costo total son seis millones de dólares. En fin, hay estrategias que sí son costosas e ineficaces. Las fumigaciones, por ejemplo. Hay que analizar los resultados de 20 años de fumigaciones aéreas de cultivos ilícitos y cómo han contribuido a darle base social de reclutamiento a los grupos armados que controlan estas zonas, donde los campesinos empiezan a ver al Estado es como un enemigo, que viene a arrasar con su forma de vida y no la reemplazan con el famoso desarrollo alternativo, que hasta ahora ha sido una ficción: no ha llegado y es muy difícil que llegue. Cuando no hay productos agrícolas lejanamente competitivos con la coca en estas regiones aisladas. Las fumigaciones, sin alternativas reales de progreso para los miles de *raspachines* y cultivadores, son una estrategia errada y contraproducente. En lo social, lo político y lo ecológico.

La «microgerencia» presidencial

ENRIQUE SANTOS CALDERÓN: Volviendo al método de gobierno de Uribe, sorprende la fijación con lo que han llamado la «microgerencia». Es una pequeña pedagogía del pequeño detalle. Los consejos comunitarios son, en ese sentido, asombrosos: horas y horas el presidente de la República con medio gobierno en los pueblos más remotos, fungiendo como implacable maestro de escuela que pasa al tablero a funcionario tras funcionario para rajarlo, frente a la comunidad y al país —porque son transmitidos en directo por Señal Colombia—. El efecto de demostración es sin duda popular, porque nunca hemos tenido un presidente que trabaje tanto y sepa tanta cifra; que se recorra todo el país en esas extenuantes jornadas maratónicas, hablando del pequeño cultivo aquí, de la carretera allá. Ha gustado, repito, porque es un mandatario en contacto directo con la gente y sus problemas concretos. Pero, al cabo de casi dos años, hay que preguntarse por la gran película y ¿esto para dónde va? ¿Dónde están los grandes cambios que sustenten todo esto?

Otra cosa que preocupa es que Uribe no tiene un equipo de gente que le esté hablando de los grandes problemas, que le esté dando otras visiones o cuestionando algunos de sus preceptos. Hay una notoria ausencia de espíritu autocrítico a ese nivel. Está rodeado de gente incondicional. La falta de más asesoría crítica es evidente en política exterior. No parece haber en su equipo cercano quién le explique al presidente cómo funciona la comunidad internacional, los organismos internacionales. Ese viaje a Europa, por ejemplo, fue asombroso como se planificó —si es que se planificó—. Un poco a la vera de Dios. Fue, también, un reflejo de la personalidad frentera de Uribe, que busca escenarios de confrontación. Antes de viajar le dijo a un grupo, en el que yo me encontraba, que estaba dispuesto a que en Europa lo cuestionaran y le dijeran de todo: autoritario, fascista, paramilitar, pero que «lo único que no podrán decirme es marica o ladrón».

Anécdota que traduce esa autenticidad un tanto visceral de Uribe, un hombre que también sabe cultivar un estilo franco y campechano —«montañero», dicen algunos— que aplica en los consejos comunitarios con mal disimulado populismo. Tenemos, sin duda, un presidente con una personalidad muy sui géneris, cuya dedicación y capacidad de trabajo impresionantes no impide preguntarse si no están desaprovechados en asuntos menores; o si su empeño de estar encima de todo le impide delegar y concentrarse en lo esencial. Por eso se ha dicho que Uribe manda pero no gobierna.

ANTONIO CABALLERO: Recuerdo sobre esto que está diciendo Enrique, que Uribe no tiene gente que lo critique ni se haga autocrítica, y él tampoco la hace, que en estos días han publicado en *El Tiempo* dos entrevistas que me parecen asombrosas: una con el vicepresidente Francisco Santos y otra con el ministro del Interior y de Justicia, Sabas Pretelt. Y la verdad es que ninguno de los dos dice absolutamente nada, salvo que es necesario reelegir a Uribe y que no reelegir a Uribe sería una tontería, sin explicar por qué tampoco. «El país tiene por fin la oportunidad de tener un presidente como Uribe». Pero ¿qué es el presidente Uribe? No explican qué es el presidente Uribe: dicen: «Tenemos esa suerte, no podemos renunciar a él».

Eso me recuerda muchísimo las cosas que se decían, por ejemplo, del generalísimo Rafael Leonidas Trujillo: «La República Dominicana tiene la suerte de tener de su lado a Dios y a Trujillo». Pero nadie explica por qué es una suerte que tengamos a Uribe, puede serlo o puede no serlo. En mi opinión, no lo es. Porque me parece justamente también que esa monstruosa lambonería que existe en torno al presidente Uribe lo está sacando de sus cabales, como suele suceder con el poder. El poder saca a las personas de sus cabales y las vuelve locas. Hemos visto en todas partes que mientras más duran en el poder… Más aún Uribe: si está loco al año y medio de estar de presidente, ¿cómo estará a los ocho?

ENRIQUE SANTOS CALDERÓN: Se puede estar encerrando en su propio esquema; creyendo que su popularidad es eterna, y escuchando sólo a quienes lo ensalzan. Este año va a ser decisivo en medir el verdadero talante de Uribe, como líder político capaz de sumar fuerzas. Hasta ahora le ha ido bien, sobre todo en el campo militar, aunque después del campanazo de Neiva ese triunfalismo puede diluirse un tanto. Pero plantear, como lo hizo el ex ministro Londoño, en su columna de *El Tiempo*, que quienes sostienen que las FARC no están derrotadas son apátridas, es una tremenda desconexión con la realidad. Ahora bien, un aspecto positivo de Uribe es que por primera vez un presidente está en plan de ejercer de verdad como comandante de las Fuerzas Armadas y aplicarles una rendición de cuentas. Gaviria lo quiso hacer, Barco lo logró hacer a medias; pero aquí ha habido una especie de respeto reverencial, en el sentido de que en un país en guerra cuestionar es desmoralizar a las Fuerzas Armadas. Uribe ha roto con esta perniciosa tradición. Incluso, a raíz de la remoción de generales y oficiales después de los sucesos del Huila, mucha gente dice que se le fue la mano. Pero ahí hay un mensaje importante sobre la rendición de cuentas y resultados. Eso me parece positivo.

Las Fuerzas Armadas

ANTONIO CABALLERO: Sí, a mí también, porque efectivamente aquí siempre había la imposibilidad de criticar a las Fuerzas Armadas desde dentro del establecimiento: quien critica a las Fuerzas Armadas es un subversivo. Pero a la vez las Fuerzas Armadas nunca han mostrado resultados, desde que existe la guerrilla en este país, es decir, desde las guerrillas liberales a finales de los años cuarenta. Las Fuerzas Armadas con toda la laxitud política que les han dado los distintos gobiernos, salvo por brevísimos momentos durante el gobierno de Belisario Betancur o, antes, durante el gobierno de Alberto Lleras Camargo y en el gobierno de Andrés Pastrana en una zona geográficamente limitada, que era la zona de despeje. Las Fuerzas Militares en Colombia han tenido la laxitud para hacer lo que les da la gana, y resulta que no han tenido ningún resultado que puedan mostrar. Eso, a pesar de que han utilizado los métodos más espantosos, porque ése es un hecho: la violación constante y sistemática de los derechos humanos.

Últimamente los Estados Unidos, de una manera muy hipócrita, pretenden monitorear esas violaciones en el mundo entero, como si ellos no las cometieran y como si no fueran sus propios profesores los que hubieran enseñado a todos los militares de América Latina métodos de tortura, métodos de detenciones masivas, todo ese tipo de cosas. Todo eso lo aprendieron, de los militares norteamericanos, los militares argentinos, los militares chilenos, los militares colombianos.

Desde que los Estados Unidos —en un ejercicio superior a su propia hipocresía tradicional— están criticando los abusos contra los derechos humanos por parte de los militares de otros países, eso, naturalmente se ha convertido aquí en un problema interno sumamente grave. Porque, por la mayor contribución económica de los Estados Unidos a las Fuerzas Armadas colombianas a raíz del Plan Colombia, la dependencia de las Fuerzas Armadas colombianas de los Estados Unidos es cada vez mayor.

ENRIQUE SANTOS CALDERÓN: No estoy seguro de que la historia se repita tan mecánicamente, pero lo cierto es que si uno analiza lo ocurrido aquí desde las guerrillas liberales y la forma impresionante como ha crecido el fenómeno de los grupos armados ilegales, tanto de la guerrilla como de los paramilitares, eso lo que está mostrando es una ineficiencia de las Fuerzas Armadas. Pese a los recursos, pese a la legislación del estado de sitio, este fenómeno no ha hecho sino crecer. También ha habido un «pimponeo» de responsabilidades. El argumento de las Fuerzas Armadas es que «nosotros hacemos lo que nos toca, pero la clase política no hace lo suyo», «nosotros recuperamos militarmente una zona, pero luego el Estado no se hace presente y no consolida el triunfo militar en el terreno social y económico». Y no les falta razón ni motivos. Hasta cierto punto se les ha dejado el trabajo «sucio» a los militares. No hay trabajo militar que valga si el conjunto del Estado no está en esa guerra ni cumple con sus responsabilidades institucionales.

Ahora, no me parece negativo que Estados Unidos se convierta en una fuerza de presión a favor de los derechos humanos y que las Fuerzas Armadas empiecen a acusar esa presión. No sólo en lo de derechos humanos sino también en cuanto a su modernización, pues la propia estructura de los militares, todo su sistema interno de ascensos y traslados; sus líneas de mando y organización geográfica no tienen que ver con las dimensiones ni características del conflicto armado en Colombia. Ha habido en los últimos años, desde Pastrana con el Plan Colombia, un proceso de profesionalización y de modernización de las Fuerzas Armadas, acompañado de una fiscalización en el campo de los derechos humanos, que me ha parecido positivo.

Como estábamos, estábamos mal: un Ejército ineficiente, acostumbrado a no moverse, a recibir una cantidad de recursos y no responder por ellos y a no ser llamado a rendir resultados. Eso ha cambiado, en parte porque se salió de madre la cosa armada; y en parte porque Estados Unidos entró a dar plata, pero también a exigir resultados, a exigir modernización. Y en medio de todo esto surge un fenómeno como el de Álvaro Uribe, producto directo de la exasperación de la gente con la guerrilla y de la frustración del Caguán, que sabe aprovechar a fondo las nuevas circunstancias militares y el clima de la opinión pública contra los excesos de la guerrilla.

Por otra parte, estamos en la mira de la comunidad internacional por las dimensiones de violencia y de crisis humanitaria que ha alcanzado nuestro conflicto. No sólo la embajada de Estados Unidos sino las Naciones Unidas tienen en Colombia sus misiones más numerosas en el mundo.

ANTONIO CABALLERO: «Una organización irrelevante», como llama Bush a las Naciones Unidas.

ENRIQUE SANTOS CALDERÓN: Y sin embargo ya está acudiendo a las Naciones Unidas para salir del mierdero de Iraq. Pero volviendo a lo anterior, en el panorama continental es insólito tener un conflicto armado de las dimensiones del colombiano. La gente no se lo explica, en un país que no tiene conflictos étnicos, ni raciales, ni separatistas, una guerra interna con cifras impresionantes de homicidios, secuestros, desplazamientos... Y que puede tener cada vez más efectos sobre toda la región andina y amazónica, lo cual es motivo de creciente inquietud internacional.

La diplomacia

JUAN LEONEL GIRALDO: *El país parece que no tuviera una definida y caracterizada política diplomática. Venezuela no para de agitar sus ambiciones en el golfo, Nicaragua hace lo mismo respecto a San Andrés y Providencia. Tradicionalmente nos mostramos blandengues, inseguros, muy apegados a los amarillentos documentos de tratados y convenios, lo que hay que hacer, pero faltos de vehemencia...*

ENRIQUE SANTOS CALDERÓN: Una política diplomática requiere de una visión de Estado y de Nación que esté por encima de partidos y cambios de gobierno en cuanto a las relaciones internacionales se refiere. Y aquí fallamos lamentablemente. Hemos tenido cierta errática continuidad en el manejo de algunos litigios fronterizos como los de Venezuela y Nicaragua, pero la triste verdad es que aquí no existe carrera diplomática como tal. Cancillería propiamente dicha, como la tienen Brasil, Perú, México o inclusive Venezuela.

El servicio diplomático colombiano es para pagar o comprar favores políticos. Es normal que el nombramiento de embajadores en ciertas capitales claves tenga un sentido político, pero es que aquí hasta los cónsules de tercera son fichas de los jefes políticos, en detrimento de los funcionarios de carrera. Basta repasar la nómina actual del servicio exterior para ver hasta dónde llega el clientelismo diplomático. El gobierno de Uribe no se ha quedado atrás en esto. Por el contrario, ha llenado embajadas y consulados de recomendados políticos. Así es muy difícil tener una política diplomática con coherencia, proyección y continuidad.

ANTONIO CABALLERO: No es que «parece que no tuviera diplomacia»: es que no la tiene. Por una parte porque —y vuelvo siempre a lo mismo— todos nuestros gobiernos, desde la Segunda Guerra Mundial para acá, se han limitado a hacer en el mundo lo que les manden los gobiernos de los Estados Unidos. «Caín de América», en tiempos de Turbay Ayala, contra la Argentina en la guerra de las Malvinas; ahora, con Uribe, apoyando estentóreamente la guerra de Iraq; mandando tropas a Corea cuando Laureano Gómez; siempre así. Por otra parte porque —y sigo en lo mismo— hay una doble diplomacia en estos países: la de los gobiernos, y la de los ejércitos, esta segunda impulsada directísimamente por Estados Unidos. Así, por ejemplo, gobiernos colombianos mantenían relaciones muy frías con el Chile del general Pinochet, las reuniones entre los dos ejércitos eran cordialísimas. Y en tercer lugar, Colombia no tiene diplomacia porque ésta aquí es sólo la prolongación de la politiquería interna. ¿Por qué es Horacio Serpa embajador ante la OEA, o Noemí Sanín embajadora en España? Por razones de politiquería interna. ¿Cuántas veces cambió el embajador en Francia durante los cuatro años de Pastrana? Los cargos diplomáticos, incluyendo los más importantes —la embajada en Washington, por ejemplo, o la de Caracas—, son simplemente premios que se les dan a determinadas personas. Y tampoco ningún embajador se siente obligado a realizar ningún tipo de diplomacia del país, salvo la que convenga a sus propios intereses personales: si quiere hacer negocios, hace negocios, o politiquea por teléfono, etc. Por otra parte, la Cancillería ni manda instrucciones ni... ni siquiera contesta cartas o llamadas telefónicas: nunca lo ha hecho. Yo creo que lo que mejor resume lo que es la diplomacia en Colombia es la respuesta que dio Álvaro Gómez Hurtado una vez que estuvo un par de años de embajador en París y le preguntó un periodista al volver que cuál había sido el resultado más notable de su actuación diplomática. Respondió: «Fui mucho a la ópera».

Estados Unidos y Colombia

JUAN LEONEL GIRALDO: *En cambio Estados Unidos sí hace diplomacia para apoyar la continuidad de Uribe...*

ENRIQUE SANTOS CALDERÓN: Se sabe muy bien, pues el embajador americano salió a decir —de frente— que los colombianos debían reelegir a Uribe, cosa por la que, parece, le jalaron las orejas en el Departamento de Estado. A la administración Bush le fascinaría que Uribe fuera reelegido para darle continuidad a sus políticas y evitar el sobresalto de que llegue una persona a desmontar todo el esquema de seguridad. Estados Unidos considera a Uribe su aliado más firme en Suramérica. Pero en la medida en que presione mucho puede producir un efecto contraproducente. Como ocurrió en Bolivia, cuando el embajador de Estados Unidos trató de vetar al candidato Evo

Morales, el dirigente agrario de las marchas cocaleras. Casi lo elige.

ANTONIO CABALLERO: De todas maneras ese intervencionismo no es sólo de los Estados Unidos de Bush. Viene desde hace muchísimos años, desde los tiempos de Truman, y cuando la política era el anticomunismo. Los Estados Unidos siempre han estado interesados no en los poderes transitorios, como son los parlamentos y los presidentes, sino en los poderes permanentes, como son fundamentalmente las Fuerzas Armadas en todos los países de América Latina. De ahí que, por ejemplo, de tiempo en tiempo, y con cierta regularidad, haya reuniones de las fuerzas armadas de toda América Latina convocadas por los Estados Unidos, al margen de los gobiernos. Independientemente de cuáles sean los gobiernos. Es decir, cuando en Colombia había un gobierno democrático, en el sentido de que había salido de unas elecciones, etc., el de Turbay Ayala, pues los militares colombianos iban a las reuniones con los militares chilenos, con los militares argentinos, con los militares de Brasil, con los bolivianos, que eran todos ejércitos golpistas. Porque eso fue reiterado hace pocos años por lo que se llama el Grupo de Santa Fe, donde está la derecha republicana que en este momento apoya a Bush. No la derecha electoral republicana de los grupos cristianos fundamentalistas, sino la derecha petrolera y de grandes negocios de los Estados Unidos, la gente de Cheney, la gente de Rumsfeld. El Grupo Santa Fe tiene proyectos para América Latina a larguísimo plazo, mucho más largo plazo que el que puede tener un presidente reelegible, como el caso de Fujimori, en el Perú, o Menem, en la Argentina. Ésos sí que piensan a largo plazo y financian a largo plazo también.

ENRIQUE SANTOS CALDERÓN: Lo que tenemos que entender es que Colombia y América Latina no son una prioridad para los Estados Unidos. Sus prioridades son, por un lado, el Medio Oriente y la suerte de Israel, su único aliado en esa región productora de petróleo, y el problema del terrorismo fundamentalista islámico. Ojo con subestimar lo que significó el 11 de septiembre en la psiquis americana. Otra prioridad es China, por su creciente poderío económico. Nosotros somos una prioridad muy secundaria. Hoy se habla de que va a haber «dos Américas»: la que firme tratados bilaterales de libre comercio con Estados Unidos, y la que no. Uno nota que en Estados Unidos hay quienes le jalan a eso y quienes no. Incluso Estados Unidos está desentendiéndose poco a poco del ALCA, y la prioridad ahora es la firma del tratado de libre comercio; ya Centroamérica firmó, firmó el Caribe, Chile firmó y los países de Centroamérica. Están en línea Perú y Colombia. Por otro lado, están los países que definitivamente han dicho que no les interesa: Argentina, Brasil, Venezuela, posiblemente Ecuador y Bolivia.

ANTONIO CABALLERO: México está muy arrepentido de haber firmado.

ENRIQUE SANTOS CALDERÓN: No lo creo. Hay que ver las cifras. El volumen del comercio entre Estados Unidos y México se ha triplicado, mientras que el de Brasil se ha estancado. Sectores agrícolas mexicanos y algunas industrias han sufrido; pero el resultado global, final, es que la economía mexicana y el empleo han crecido significativamente. En fin, el tema de los TLC será vital. Pero no creamos que Estados Unidos está obsesionado con Colombia. Somos un país donde están poniendo en práctica una gran cantidad de experimentos, un país que inquieta por el conflicto armado que tiene, porque el narcotráfico sigue vivo, porque es un país que exporta droga, porque hay una guerrilla que ataca los símbolos gringos, porque el conflicto pueda desbordar las fronteras. Todo eso les preocupa, pero en la escala de prioridades estamos abajo. Es importante entender, además, que en los niveles de consumo de cocaína, que es lo que más producimos, están estancados en Estados Unidos, con una tendencia progresiva a la reducción, o sea que nuestra prioridad como país que está envenenándolos también ha bajado. Está creciendo el consumo en Europa, en Brasil, en América Latina, pero eso es otra vaina. El enemigo externo de Estados Unidos ya no es la droga, sino el terrorismo islámico.

ANTONIO CABALLERO: Pero de todas maneras la droga sigue siendo muy importante. Es muy curioso que normalmente en las conversaciones sobre tratados bilaterales de libre comercio no se mencione para nada la droga, simplemente porque está prohibida. Y, sin embargo, representa sin ninguna duda el rubro de mayor valor en dólares de las exportaciones colombianas a los Estados Unidos, mucho más, por supuesto, que el café, mucho más que el petróleo.

JUAN LEONEL GIRALDO: *Que las remesas de los inmigrantes...*

ANTONIO CABALLERO: No, eso es otra historia. Eso es dinero que entra a Colombia enviado por los emigrados colombianos a sus familias. Pero hablo de comercio, no de personas. Eso nunca se toma en cuenta en las evaluaciones del comercio entre los dos países, no. Se dice: es que Colombia representa únicamente el

0,02% de las importaciones norteamericanas. Sí, si no le metemos la droga; si le metemos la droga sube hasta 3 o 4%.

JUAN LEONEL GIRALDO: *Se dice que ahora está volviendo a entrar mucho dólar proveniente del lavado...*

ANTONIO CABALLERO: Sí, está volviendo a entrar mucha plata de la droga a Colombia, parece ser.

ENRIQUE SANTOS CALDERÓN: En la remesa de divisas se habla de narcotraficantes que tienen toda una operación en el exterior de «pitufeo», para el lavado de activos.

Uribe en blanco y negro

JUAN LEONEL GIRALDO: *Retomemos el fenómeno Uribe...*

ENRIQUE SANTOS CALDERÓN: Antonio, usted al comienzo del gobierno Uribe escribió un par de columnas sorprendentemente esperanzadoras. ¿Es que el tipo era diferente?

ANTONIO CABALLERO: Yo le daba a Uribe un compás de espera, sabiendo por supuesto que era un hombre de derecha y que su política en Antioquia como gobernador había sido una política de derecha, la organización de aquellas cosas que se inventó Fernando Botero cuando era ministro de Defensa de Samper, las Convivir.

ENRIQUE SANTOS CALDERÓN: Creo que las inventaron Uribe y Pedro Juan Moreno.

ANTONIO CABALLERO: No, las inventó Botero a escala nacional, pero donde más se pusieron en marcha fue en Antioquia con Pedro Juan Moreno y con Uribe. Pero sabiendo todo eso, de todas maneras me parecía que salir de la imbecilidad de Pastrana sólo podría ser positivo. Es decir, no consideraba que fuera posible realmente que hubiera un gobierno peor, más nefasto, más inútil y más dañino que el gobierno de Andrés Pastrana. Y por eso naturalmente le di un compás de espera a Uribe, de todas maneras. Entre otras cosas, porque en muchos otros aspectos me decían que había sido un excelente gobernador de Antioquia, al margen de las Convivir, pues era un tipo que había limpiado un poco la burocracia corrupta del departamento, que había hecho infinidad de obras públicas, en particular carreteras, y que había manejado la plata del departamento de una manera completamente transparente. Después de tantos años de gobiernos turbios y nada transparentes todo eso me parecía positivo.

Después, la verdad es que yo no le veo muchos resultados al gobierno de Uribe, ni siquiera en el aspecto del orden público. Porque, no sé, es cierto que al menos por las cifras oficiales han bajado los homicidios, han bajado los secuestros, han bajado en general las cifras de la inseguridad; pero hablando con la gente, salvo en el estrato más alto, no da la impresión de que la gente piense que haya bajado la inseguridad, en particular en el campo, incluso en los estratos más altos. En otros temas me parece, primero, que Uribe no tiene o no tenía claro qué era lo que quería hacer en distintos terrenos fundamentales cuando llegó al poder, posiblemente porque no pensaba ganar estas elecciones, sino ganar las siguientes. En el tema económico: que Uribe haya nombrado como su asesor personal a Rudolf Hommes me parece una amenaza, porque como ministro de Hacienda de la época fue uno de los grandes responsables de la peor crisis económica que ha vivido este país: la crisis de la apertura de Gaviria, peor que la de los años treinta. Que el señor Rudolf Hommes, desde fuera del gobierno, como asesor presidencial especial, siga influyendo en las definiciones de la política económica de Colombia, en momentos tan claves como éste, ante el posible esquema de un tratado de libre comercio con los Estados Unidos, me parece peligrosísimo. Porque no me parece que el señor Hommes tenga el menor interés en los efectos políticos que puedan tener las políticas económicas y sociales.

La existencia de grupos armados en este país, por ejemplo, es un fenómeno político, a pesar de que sus orígenes sean sociales y económicos. Pero creo que a un economista de corte neoliberal como Hommes eso lo tiene completamente sin cuidado. Y en el tema social: la política social de Uribe es una política fundamentalmente antisocial. Consiste en acabar con las pensiones; consiste en multiplicar los impuestos de las clases medias; consiste en no perseguir la evasión de impuestos, sino, más bien, en ampliar la base de los que pagan impuestos, y en ese proyecto de aplicar el IVA a absolutamente todos los productos de consumo, incluyendo los de primera necesidad. Eso me parece delirante en un país donde más de la mitad de la población está por debajo del nivel que se llama de pobreza absoluta.

Es decir, en lo económico, en lo social, en lo jurídico, en lo administrativo, no me parece que Uribe haya tenido o tuviera estrategias claras. Lo que hace es avanzar a golpes de improvisación y de contradicciones, es decir, dura una cosa tres meses, y a los tres cambia de rumbo. Dice que la aprobación de su muy cambiado e improvisado referendo es absolutamente necesaria para la seguridad democrática de Colombia, y después resulta que no era tan necesaria, porque no se aprueba el referendo y no pasa nada. Me parece que improvisa, y yo creo que este país no está para improvisar tanto. El derecho al «chamboneo», que reclamaba López Michelsen en su tiempo, se ha practicado con demasiada impunidad.

ENRIQUE SANTOS CALDERÓN: Una cualidad de Uribe es que nadie cuestiona su honestidad personal, ni lo asocia con negociados ni amiguismos censurables de gobiernos pasados. No han surgido procesos 8.000, ni escándalos entre allegados al presidente, comparables a los que enfrentó Pastrana. Lo de la improvisación es cierto. Álvaro Uribe no estaba bien preparado para gobernar a Colombia. Los nombramientos de personas que desconocía en los ministerios, la forma apresurada como integró gabinete, el hecho de que muchas de sus estrategias —como los consejos comunitarios— son calcadas de todas sus experiencias en Antioquia, que ha tratado de trasladar mecánicamente al resto del país.

Esto revela ciertas limitaciones de Uribe en su condición de estadista. A veces da la impresión de que se queda corto, no solamente en su visión del mundo, sino en su visión de cuál es el país. Uribe no conocía bien cómo funcionaba Bogotá. Ese lado, no sé cómo llamarlo, montañero, provinciano o ingenuo, resulta costoso a veces por los errores o improvisaciones que se cometen. Se supone que se aprende de los errores, se aprende sobre la marcha; pero esto se dificulta si hay poca capacidad de rectificación o de autocrítica. Es un hombre apegado a un esquema, no es un hombre que cambie fácilmente, ni rápidamente de estilo, ni mucho menos de personalidad. La forma como gobierna implica una marcada subordinación de la gente que lo rodea. Gaviria tenía un esquema bien distinto: colocaba una idea sobre la mesa, oía opiniones críticas y a contradictores; sopesaba, y luego tomaba decisiones. El Consejo de Ministros y la forma como opera en la práctica el gobierno de Uribe es más vertical, más autoritaria: «La cosa es por aquí» y no parece que haya mucho debate sobre sus iniciativas. Hay que ver cómo puede funcionar este método con un Congreso envalentonado y empoderado, que ya no tiene la espada de la revocatoria sobre su cabeza. Un Congreso que vio el fracaso del referendo, que ya pasó por Londoño, y que no se va a dejar mangonear así no más. Uribe tendrá que adaptarse a estas realidades a menos que logre algún golpe contundente contra las FARC, lo que crearía un clima psicológico muy favorable para la reelección de Uribe.

ANTONIO CABALLERO: Usted decía ahora que a Uribe no le ha estallado ningún escándalo. Bueno, la verdad es que sí. Lo curioso es que no lo haya destapado un enemigo suyo, sino un amigo cercano. Pedro Juan Moreno, en la revista que tiene ahora que se llama *La Otra Verdad*, habla de la compra del nuevo avión presidencial que por lo visto es un negocio de alguien, aunque Moreno no dice de quién. Por lo visto es el más absurdo vehículo presidencial que se ha comprado en América Latina desde que Rojas Pinilla compró un Cadillac. La revista de Moreno calcula que en su compra y su mantenimiento se va la mitad de los ahorros que hizo Uribe con su reforma del Estado expulsando a varios miles de empleados oficiales.

Lo que ha pasado últimamente en Colombia con los escándalos de corrupción es que no salen sino en cierto momento. Hay que mirar que Uribe no lleva sino un año y medio. Los escándalos de corrupción del gobierno de Pastrana, del gobierno de Betancur, del gobierno de López, del gobierno de Turbay, sólo empezaron a salir cuando el gobierno ya estaba bastante avanzado. De este caso actual, lo que me parece significativo es que sea su amigo, Pedro Juan Moreno, quien lo denuncie.

ENRIQUE SANTOS CALDERÓN: El amigo que se siente traicionado y marginado. Sobre el avión presidencial sería increíblemente torpe de Uribe incurrir en una cosa de ésas. Por la imagen que ha cultivado de hombre que no transige con la corrupción, que fuera a cometer tamaño «desliz» con la compra de un avión presidencial, algo de lo cual va a estar pendiente todo el país. Tendría un efecto terrible sobre su imagen; comparable al que sufrió Pastrana, cuya popularidad estaba por los suelos a los pocos meses de posesionado. No solamente por lo del Caguán, sino por los escándalos que involucraron a amigos suyos, cuando él había levantado la bandera de anticorrupción después de lo de Ernesto Samper. Si a Uribe se le abre un flanco por ese lado sería grave para su popularidad.

ANTONIO CABALLERO: Yo tampoco lo creo todavía, simplemente lo digo. Este caso me sorprende por venir de donde viene; evidentemente puede ser que Pedro Juan Moreno respire por la herida, pero es así como suceden todas las cosas en nuestro país: siempre es por el que ha perdido el negocio que se sabe que había un negocio.

ENRIQUE SANTOS CALDERÓN: Es evidente que el presidente de la República no puede seguir volando en esa «cafetera» de 35 años. Es un problema de seguridad nacional, cuando vive trasladándose a esos consejos comunitarios con medio gabinete a bordo. Es un riesgo que raya en la irresponsabilidad. Uribe se opuso a la compra por esa mentalidad de austeridad —le parece un gasto suntuario, innecesario—, pero es una decisión de Estado por la seguridad personal del presidente. Ahora, si hay aviones más baratos o caros, no sé.

ANTONIO CABALLERO: Sí..., digamos, una de las cosas que dice Pedro Juan Moreno es que el presidente Lagos, de Chile, acabó de comprar un avión igual, pero nuevo y en nueve millones de dólares menos.

ENRIQUE SANTOS CALDERÓN: Si eso es cierto, algo huele mal.

La alternatividad

JUAN LEONEL GIRALDO: *¿Le ven más grietas a Uribe?*

ANTONIO CABALLERO: No sé si el otro día hablábamos un poquito de lo de la alternatividad penal.

ENRIQUE SANTOS CALDERÓN: Eso me parece un talón de Aquiles de Uribe. Es un proyecto desconcertante, que no tiene presentación. Cabe recordar que la mayor controversia que rodeó la campaña presidencial de Uribe fue precisamente su presunta simpatía por los paramilitares. Entonces sorprende que salga el gobierno con un proyecto de esta naturaleza, que nació patas arriba. Antes de negociar ofrece toda clase de garantías, concesiones y perdones a los paramilitares. Tal como fue concebido no veo posibilidad de que sea aprobado por el Congreso o aceptado por la comunidad internacional. Es casi una ingenuidad, pero podría convertirse en el 8.000 de Uribe o resultarle una especie de Caguán a la inversa, como dijimos en un editorial de *El Tiempo*.

Y es que lo lleva a uno a pensar qué elementos de chantaje o de presión pudieran tener los paras, el grupo de Castaño por ejemplo, sobre Uribe, para que hubiera podido plantearse semejante proyecto. Hay que recordar que Uribe dijo durante la campaña, ante los cuestionamientos de la prensa internacional sobre nexos con los paras, se lo dijo incluso a *El Tiempo*, que él nunca había conocido a Castaño. ¿Qué tal que existiera alguna prueba que demostrara lo contrario? No lo creo y no quiero ni imaginar que tal posibilidad tuviera que ver con el proyecto de alternatividad penal. En todo caso, la idea de desmovilizar a miles de hombres armados es buena. Pero este proyecto fue muy mal concebido y planteado.

ANTONIO CABALLERO: Sí, el proyecto de alternatividad penal para los paramilitares es completamente inaceptable. En una columna que publica *El Tiempo* del ex ministro de Uribe, Fernando Londoño, se presenta la alternatividad diciendo: «¿Cómo es posible que se pretenda el canje humanitario con las FARC para que salgan unos malhechores corruptos a volver a cometer crímenes, y en cambio se impida que una gente de bien que quiere devolver sus armas lo haga?». ¿Gente de bien? Son tan asesinos y tan corruptos como los otros. Y además tampoco quieren devolver sus armas. O por lo menos eso ha dicho Mancuso: que a lo mejor sí, que ya se verá. Hay otros que dicen que no. El Bloque Centauros dice que por ningún motivo. El Bloque Cacique Nutibara dice que ellos menos. Y no sé cuál dice que ellos se niegan a concentrarse para que los cuenten.

ENRIQUE SANTOS CALDERÓN: El jefe para del Magdalena Medio, Ramón Isaza, ha dicho que no le jala a desmovilizarse así no más…

ANTONIO CABALLERO: En el fondo estamos hablando de la alternatividad penal ofreciéndoles a los paramilitares unas cosas absurdas de perdón, y hasta de premio; pero que ni siquiera ellos están dispuestos a aceptar. No sé por qué le han metido a eso tanto… tanta publicidad, sobre todo a través del Comisionado de Paz y, en su momento, a través del ministro Londoño. No sé si va a ser una cosa como varias de las que ha hecho Uribe, un rataplán de tambores que termina con un chorro de babas. Como el Referendo.

ENRIQUE SANTOS CALDERÓN: Además, no se nos olvide que todo lo que se negocia con los paras, todo lo que se les concede, será el punto de partida de lo que se comience a negociar eventualmente con la guerrilla, con las FARC. Entonces…, por favor…

ANTONIO CABALLERO: Yo creo que en este tema ya hay suficiente ilustración, como se dice en el Congreso.

3

La violencia

La guerrilla

JUAN LEONEL GIRALDO: *¿Cómo ven el futuro de la guerrilla, de esta guerrilla?*

ENRIQUE SANTOS CALDERÓN: ¿El futuro de la guerrilla, lo que se entiende como la guerrilla de izquierda?

JUAN LEONEL GIRALDO: *Sí, la que tenemos en Colombia, de las* FARC.

ENRIQUE SANTOS CALDERÓN: Pero también existe el ELN, que tiene un origen distinto de las FARC. El ELN nace al calor de la

revolución cubana, es un fenómeno —digamos— menos implantado que las FARC, que vienen de las entrañas del atraso y
la injusticia del campo, de las guerrillas liberales que se alza-
ron contra la violencia goda, que tienen, digamos, raíces más
telúricas que un ELN o un EPL, que fueron focos guerrilleros de
inspiración castrista o maoísta.

ANTONIO CABALLERO: De clase media.

ENRIQUE SANTOS CALDERÓN: Con intelectuales como funda-
dores. Por eso, como están las cosas, el futuro del ELN es o ser
absorbido por las FARC o lograr un espacio digno de reinserción política que no sientan como «traición» a cuarenta años
de sangre derramada y mártires de la causa. El purismo reli-
gioso-cristiano del ELN —el peso de Camilo Torres, Domingo
Laín, Manuel Pérez y otros sacerdotes y monjas sacrificados
por su causa— no les ayuda a los elenos a tomar decisiones
terrenales de *real-politik*, a salir a hacer política legal y abierta,
a atreverse a medir su capital político o social de compromiso
de tantos años por los pobres sin un fusil en la mano, sin tener
que estar secuestrando para «financiar la revolución». No sé.

Yo quedé bien preocupado con la actitud de las FARC durante el Caguán. Cuando una guerrilla que se supone tiene propósito político y sentido nacional, realismo mínimo, tiene la
oportunidad que tuvo en el Caguán, con Pastrana, de un escenario por el que desfiló hasta el presidente de la Bolsa de Nueva York, y en tres años no avanza un centímetro, es porque esa
guerrilla no quiere o no entiende.

Las FARC no se movieron de un decálogo que tienen de planteamientos viejos, una plataforma de diez puntos, que no es
negociable, igual que los principios generales no son negocia-

bles como tales porque nadie los cuestiona: es decir, más justicia social, democratización, desmilitarización, libertad, etc. Me inquietaron la estrechez mental y la prepotencia militar. Y que las FARC no hicieran esfuerzo por desencadenar una dinámica de negociación real. Un grado de soberbia, de engreimiento, de triunfalismo equivocado, que les cerró una cantidad de puertas políticas, que les hizo perder credibilidad internacional; y que generó una masiva reacción de la población colombiana, que es la que produce a Uribe. Y si aún no entienden cómo es la cosa, pues esto va pa' largo. Y es una calamidad, por la cantidad de vidas que aun cobrará este conflicto.

ANTONIO CABALLERO: Hay tres guerrillas en este país. Una es la del ELN; otra es la de las FARC, la más importante, y otra, la de los paramilitares, que es una guerrilla de derecha surgida como contraposición a las FARC. En el caso del ELN, estoy de acuerdo con Enrique: su futuro consiste en que una parte será absorbida por las FARC y otra parte llegará a algún tipo de acuerdos, supongo, más locales que nacionales. Creo que eso lo harán más por pedazos que globalmente con el gobierno, pero, en fin, se retirarán de la lucha armada. El sector que siga en la lucha armada, supongo, será absorbido por las FARC.

No estoy de acuerdo con que las FARC hayan desperdiciado una oportunidad en el gobierno de Pastrana para negociar, porque estoy convencido de que nunca han tenido la intención de negociar. Es decir, para las FARC la negociación era simplemente una posibilidad de obtener ventajas tácticas; por ejemplo, tener durante los años que duró eso, que fueron casi cuatro, un santuario, el santuario del Caguán, en la zona de... ¿cómo se llamaba? En la Zona de Despeje, al cual efectivamente podían retirarse... Un santuario dentro del propio país. Antes, para las FARC, su santuario era —desde que se reconciliaron con la Revolución Cubana— Cuba, a donde podían ir los enfermos de las FARC a recuperarse un poco y cosas por el estilo. Pero esto era un santuario dentro de su zona de verdadera influencia, la zona en que habían tenido influencia tradicionalmente desde hacía décadas, y la querían para eso.

Por otro lado, yo no creo que en ningún momento las FARC hayan pensado que no van a derrotar al Estado colombiano y convertirse en una alternativa de poder. Enrique habla de que eso sucedió en Cuba, sucedió en Nicaragua, y no puede volver a suceder. Yo creo que sí. Hace mucho menos tiempo sucedió en Eritrea. Bastó con que las guerrillas que antes eran marxistas prosoviéticas se declararan «liberales» para que los Estados Unidos empezaran a ayudarles. Hace menos tiempo todavía sucedió en el Congo, es decir, cuando Kabila (y luego el hijo de Kabila) derrotó a Mobutu, el hombre que había sido el principal baluarte de los Estados Unidos en todo ese sector medio de África, en un país tan rico como el Congo —que tiene petróleo, que tiene oro, que tiene uranio, que tiene esta otra cosa que ahora se llama no sé cómo—. En el momento en el que vieron los Estados Unidos que Mobutu —que había sido su hombre durante treinta o cuarenta años— había perdido el control de su país, se pasaron al lado opuesto: a Kabila —que había sido durante muchísimos años un guerrillero declaradamente comunista, amigo del Che Guevara, cuando el Che estuvo en el Congo.

Es decir: las FARC saben perfectamente que los Estados Unidos no tienen amigos, sino que tienen intereses, y saben perfectamente que en el momento en que ellos sean más fuertes que el Estado colombiano poco importa que el embajador Morenito sea amigo personal del presidente Bush y que hayan

compartido dormitorio en una universidad —el señor Mobutu había estudiado en West Point—. Las FARC saben perfectamente que los Estados Unidos se inclinarán por quien tenga el
control del país, y ellas aspiran todavía —en mi opinión— a
tener el control del país, y creen que lo están logrando. Por eso
no creo que las FARC hayan estado nunca interesadas en una
negociación ni lo estén en este momento; están interesadas en
la conquista por las armas del poder en Colombia y creen que
lo pueden lograr.

ENRIQUE SANTOS CALDERÓN: Entonces, como ya lo hemos dicho bastante, esto va para largo.

ANTONIO CABALLERO: Entonces esto va para muy largo, para
muy largo, porque efectivamente mi opinión es que no... —es
mi opinión, no es la de las FARC—, creo que no lo pueden lograr
tan fácilmente. Pero como ellos creen que sí pueden, esto va
para muy largo. En cuanto a la tercera guerrilla, que son los
paramilitares, durará tanto como duren las FARC, porque los paramilitares son simplemente una respuesta mecánica, no ideológica, sino realmente mecánica, de intereses a las FARC: una
oposición a las FARC. Por lo demás, las FARC tampoco tienen ya
un interés *ideológico* en la revolución en Colombia; a lo que
aspiran es a conquistar para ellos el poder en Colombia, un
interés como puede ser el de cualquier politiquero o gamonal
local.

La alianza gamonales-autodefensas-paramilitares, de que
hablaba Enrique, es exactamente lo mismo, del otro lado.
Lo que quieren las FARC es —tal como hacen en las regiones
que controlan desde hace años— gobernar de la misma manera que han gobernado los dirigentes locales desde hace mucho

tiempo. Es decir, manejar los contratos; manejar el dinero del Estado, en la medida en que puedan tener acceso a eso, y elegir a los gobernantes locales. Por razones sentimentales y de tradición, en Colombia es imposible elegir localmente (nacionalmente sí; pero localmente es prácticamente imposible) a alguien que no sea liberal o conservador. Entonces todos los candidatos...

ENRIQUE SANTOS CALDERÓN: Eso no es cierto...

ANTONIO CABALLERO: Sí, en los pueblos sigue siendo cierto. No es cierto en las ciudades y no es cierto nacionalmente. Es decir, el presidente Uribe se puede presentar como uribista y ser elegido, pero es imposible que en San José del Guaviare, digamos, se presente un candidato a alcalde que no sea liberal o que no sea conservador. Sea lo uno o lo otro, lo que se sabe ahí es: éste es el candidato de las FARC, o éste es el candidato del ELN, o éste es el candidato de los paramilitares; pero para obtener votos necesita presentarse o como liberal o como conservador. Eso da exactamente igual, porque ya no tiene sino una importancia puramente simbólica. Resumo: creo que así como el ELN va a desaparecer, las FARC van a durar muchísimo tiempo, hasta que las causas que las generaron cambien en Colombia; y, en consecuencia, los paramilitares también van a durar muchísimo tiempo, hasta que desaparezcan las FARC. Es decir, hasta que hayan desaparecido las causas que han generado las otras.

ENRIQUE SANTOS CALDERÓN: Inquietante sería que, aun en el hipotético caso de que las FARC se desmovilizaran por x o y razón, porque se llegue finalmente a un acuerdo, los paramilitares o las autodefensas no se desmovilizaran, porque han encontrado a su vez una forma de vida y de enriquecimiento tal, que no estén dispuestas ya a zafar con eso. Siempre se dijo que ese Frankenstein no regresaría tan fácilmente al laboratorio. Sobre todo cuando más allá del pretexto antisubversivo, han encontrado enormes fuentes de riqueza. Que diga esta gente «nosotros no, nosotros seguimos con nuestros combos, que se desmovilicen unos y sigan los otros». La forma como están apoderándose de fuentes de riqueza, de tierras, me parece que no favorece su desmovilización y desarme reales. Entonces ese escenario, que sería realmente tétrico, tampoco debe descartarse.

ANTONIO CABALLERO: Yo es que no creo que la guerrilla se desmovilice. La guerrilla de las FARC digo, porque es posible que lo haga la del ELN. A mí me parece que las FARC, desde hace bastantes años, son cada día menos políticas: cada día son más una organización que vive de varias cosas ilegales —algunas criminales verdaderamente, como el secuestro—; otras simplemente ilegales, porque han sido decretadas ilegales por los Estados Unidos, como el tráfico de drogas. Mientras el tráfico de drogas sea un negocio tan gigantesco como el que es y permita, en consecuencia, mantener una organización armada, no tienen por qué desaparecer las FARC. Eso mismo ha sucedido, digamos, con los talibanes en Afganistán, y luego con los «señores de la guerra», aliados de los Estados Unidos.

En este momento en el mundo hay algo así como ochenta o cien conflictos internos armados en otros tantos países, y todos ellos se financian fundamentalmente con el tráfico de drogas. El tráfico de drogas es lo que más dinero genera, y con mayor facilidad. Porque en el Congo es posible que se financien las guerrillas con los diamantes; pero que una guerrilla se financie con el petróleo es sumamente difícil, porque eso requiere unas inversiones gigantescas que además tienen que ser legales, puesto que la industria del petróleo lo es: es decir, una guerrilla no puede montar una industria petrolera, porque nadie le compra el petróleo. En cambio como la droga sí es ilegal, la compra cualquiera. Eso sí no tiene ningún control. Todo lo que es ilegal carece de control.

¿Y Estados Unidos?

JUAN LEONEL GIRALDO: *De los fenómenos de guerrilla y droga, ¿cuál creen que le preocupa realmente a Estados Unidos?*

ENRIQUE SANTOS CALDERÓN: Ha cambiado un poco la percepción externa: antes éramos fundamentalmente el narcopaís. Y la obsesión de Estados Unidos era casi exclusivamente el problema del narcotráfico. En los últimos años, se ha vuelto también el fenómeno del conflicto armado, de la guerrilla, de los paramilitares, que terminó ligado a la droga. La imagen externa que hoy prima también es la guerra «civil». Un país con toda clase de ejércitos privados, un país desinstitucionalizado por el conflicto interno. Ese enfoque casi exclusivo del país de la droga está siendo reemplazado por el del país de la guerra interna; el país con la crisis humanitaria más grande de América, el país con el conflicto armado más viejo de América, con fenómenos totalmente insólitos de violencia política y social. Estados Unidos hasta ahora lo reconoce. Antes el fenómeno de la guerrilla no les interesaba tanto, tan sólo la lucha contra la droga.

ANTONIO CABALLERO: Discrepo. El fenómeno de la guerrilla sí les interesaba. Los Estados Unidos participaron en las primeras campañas contra las FARC, en tiempos de Guillermo León Valencia. Porque eso formaba parte del anticomunismo, que era la doctrina política e ideológica oficial norteamericana de la época, como lo es hoy el antiterrorismo. Y, efectivamente, una de las razones por las cuales las FARC se convirtieron en una guerrilla armada a finales de los años cincuenta fueron los bombardeos que sufrieron Tirofijo y su gente en Marquetalia, con el pretexto del anticomunismo predicado en Colombia desde antes, desde que se reunió el 9 de abril de 1948 la Conferencia Panamericana en Bogotá, de la cual salió que el principal enemigo de América era el comunismo. El mismo que, por otra parte, había asesinado a Jorge Eliécer Gaitán, de acuerdo con la tesis oficial norteamericana y oficial del gobierno conservador colombiano de la época de Mariano Ospina Pérez.

ENRIQUE SANTOS CALDERÓN: Precisemos. En esa época era para toda América Latina. Colombia se constituía apenas en una pequeña parte de la gran cruzada anticomunista. Era la Guerra Fría. Después de Cuba, la guerrilla comunista se convertía en una amenaza en Venezuela, una amenaza en Perú, en Bolivia, en Brasil. En los setenta pasó a ser la droga el factor casi excluyente de preocupación de Washington en relación con nuestro país. El fenómeno de las FARC, de la guerrilla marxista —y había muchos grupos— era totalmente secundario. El problema eran los carteles de la droga, los capos... Hoy en día sí les inquieta el conflicto armado colombiano, que perciben como una amenaza para la seguridad regional.

El terrorismo

JUAN LEONEL GIRALDO: *Les inquieta, se ve que no es una de sus prioridades.*

ANTONIO CABALLERO: Lo califican como un fenómeno terrorista que forma parte indisoluble del fenómeno terrorista internacional del cual participan los talibanes afganos, Al Qaeda, el señor *Unabomber*, los rebeldes chechenos, la resistencia palestina, no sé qué secta japonesa, la organización ETA vasca, etc. Curiosamente el IRA irlandés no, entre otras cosas porque el IRA irlandés se ha mantenido durante toda su historia de donaciones de irlandeses norteamericanos. Entre ellos, gente políticamente muy importante, empezando por la familia Kennedy.

ENRIQUE SANTOS CALDERÓN: La nueva obsesión es el terrorismo. En la época de Nixon era la droga. En la de Eisenhower o Kennedy era la amenaza comunista. Son obsesiones que le inoculan al pueblo norteamericano los gobiernos norteamericanos. Desaparecido el comunismo, convertida la ex Unión Soviética, o sea Rusia y todas las ex repúblicas soviéticas, en aliadas de los Estados Unidos, en aliadas que les permiten, además, a los Estados Unidos explotar su petróleo directamente o construir sus oleoductos a través de su territorio sin el menor problema, se necesita otro enemigo. Hay que inventarlo.

ANTONIO CABALLERO: Hasta el punto de que —y eso es por la abyección del gobierno, en este momento de Uribe, pero también antes del de Pastrana y antes del de Samper, desde hace muchos años de los gobiernos colombianos ante los caprichos y las exigencias de los Estados Unidos— ahora resulta que la bomba en el Club El Nogal es una cosa comparable a la voladura de las Torres Gemelas y, en consecuencia, las personas son las mismas, el terrorismo es uno solo. Es el terrorismo internacional, lo cual es evidentemente falso, y no se lo puede creer ni siquiera alguien tan tonto como el presidente Bush. Pero mucho menos se lo puede creer un hombre como Álvaro Uribe, que conoce la historia de Colombia de los últimos cincuenta años.

ENRIQUE SANTOS CALDERÓN: Con Uribe se crea una coincidencia de intereses por razones distintas, que produce esa relación especial que existe entre Uribe y Bush. Colombia es considerado hoy como el principal y casi único aliado firme y leal de Estados Unidos en Sudamérica. Lo de las Torres Gemelas y la cruzada contra el terrorismo internacional coincide con la política de seguridad de Uribe. Y esto ha servido para obtener más apoyo, ayuda militar, etc. Son terrorismos distintos, no tiene nada que ver Al Qaeda con las FARC, pero la relación especial le sirve a Colombia para tratar de obtener más ayuda, más seguridad, trato más preferencial...

ANTONIO CABALLERO: Sigo discrepando. Yo creo que eso no le sirve de nada a Colombia. Por el contrario. No recibe más ayuda, sino que paga más por la ayuda. No tiene más seguridad, sino más guerra. Y no le dan un trato más preferencial, sino menos. Estados Unidos, desde que es un imperio, es decir, desde principios del siglo XX, ha tratado siempre mucho mejor a sus enemigos que a sus amigos. Veamos un caso tan clamoroso como el de la Segunda Guerra Mundial. Entonces el aliado de los Estados Unidos contra la Alemania de Hitler era la Gran Bretaña; a la Gran Bretaña le alquilaron los aviones y los buques de la resistencia y se los cobraron después durante muchísimos años con altísimos intereses. A Alemania la reconstruyeron gratis. El Japón le pegó una puñalada por la espalda a los Estados Unidos en Pearl Harbor: el Japón es desde entonces el consentido de los Estados Unidos. Y en este momento ¿quién es mejor tratado por los Estados Unidos? ¿Los enemigos declarados suyos, como Corea del Norte, por ejemplo, que los amenaza con bombas atómicas, o como Irán, que llama a los Estados Unidos el «Gran Satán»? ¿O los paisitos arrodillados y cobardes, como el nuestro, que se mueren del susto de hacerle la menor crítica al embajador del Imperio cuando se mete a dirigir la política local?

Yo creo que a Colombia le iría mucho mejor, en cuanto a lograr cosas de los Estados Unidos, privilegios comerciales, dinero, ayuda militar si es el caso, si se enfrentara con ellos en vez de lambonearles tanto. Aunque creo que la ayuda militar agrava los problemas en vez de solucionarlos. Pero en fin, eso se puede discutir. Se puede discutir entre colombianos, no necesariamente con la asesoría del embajador Wood (acá) y del embajador Morenito (allá) que son más o menos la misma persona.

ENRIQUE SANTOS CALDERÓN: ¿De qué sirve pensar con el deseo? Seamos realistas. ¿Qué espera usted? ¿Cogemos por otro camino? ¿Mandamos al carajo a Estados Unidos? Sería quizás muy digno, pero no lo veo muy realista.

ANTONIO CABALLERO: No, por supuesto que Colombia no puede mandar a la mierda a los Estados Unidos. No se trata de eso. Se trata de que obtenga de los Estados Unidos lo que ella misma les da a los Estados Unidos. De que obtenga *algo* a cambio de su arrodillamiento. Colombia no obtiene nada a cambio de su arrodillamiento justamente porque empieza por estar arrodillada. Si les exigiera cosas a los Estados Unidos que, repito, trata mucho mejor a los enemigos que a los amigos, algo sacaría.

JUAN LEONEL GIRALDO: *El terrorismo está adoptando como consigna universal la de que todo el mundo es culpable, para justificar sus terribles atentados contra víctimas civiles. Esta concepción de matanzas indiscriminadas ¿no creen que les quita piso a cualquier posible justificación política de esos movimientos y a toda forma de negociación?*

ENRIQUE SANTOS CALDERÓN: Habría que definir primero qué es terrorismo, término tan en boga, pero a veces tan ambiguo y polémico. ¿Quién es terrorista para quién? Los suicidas de Hamas son terroristas para Israel y casi todo el mundo, pero son mártires de la causa para los palestinos y buena parte del mundo islámico. La voladura de las Torres Gemelas en Nueva York es sin duda el acto terrorista más espeluznante de los últimos tiempos, pero la muerte de 600 civiles iraquíes en Faluya difícilmente puede considerarse una acción antiterrorista legítima por parte de las tropas estadounidenses.

En fin, la calificación de terrorista depende mucho de quién lo califica y de qué sentido o contexto político social tiene un acto de violencia. Sartre decía que se justificaba la violencia revolucionaria mientras un solo niño muriera de hambre en el mundo. Bakunin proclamaba que el revolucionario puro era el que se dedicaba a la destrucción violenta y sin contemplaciones de todo símbolo del «enemigo». Ambas posturas extremas y equivocadas.

Yo creo que toda acción de violencia pretendidamente política que busca causar la muerte de personas inocentes es un hecho terrorista repugnante, que deslegitima ética y políticamente a quienes lo practican. En el manual para el cubrimiento informativo del conflicto armado que elaboramos en el periódico, decimos que el término «terrorismo» y la calificación de «terrorista» son, en Colombia y el mundo, atribuciones políticas que cambian con el tiempo y los intereses. Se dice textualmente que «por lo pronto *El Tiempo* no aplicará de manera indistinta la calificación de "terroristas" a los grupos armados. En cambio, sí la aplicará a todo acto que tenga la finalidad de provocar el terror mediante actividades violentas que toman como blanco a civiles». De acuerdo con esto, una bomba contra un convoy militar o un secuestro de militares no es un acto terrorista, mientras que un atentado como el del Club El Nogal, una masacre o un secuestro de civiles, sí lo es.

Pero volviendo a su pregunta, es obvio que la matanza indiscriminada de civiles les quita justificación política a los movimientos que incurren en estas acciones y dificulta mucho las posibilidades de negociación.

ANTONIO CABALLERO: Yo no creo que las matanzas terroristas sean indiscriminadas. Eso es lo que dice el discurso oficial de las autoridades, empezando por la más alta de todas, el presidente George Bush. Y de ahí para abajo todos, en escalera: Blair, Aznar, Uribe... Pero no creo que las matanzas sean indiscriminadas porque no hay un terrorismo, sino muchos, con motivos muy distintos, con propósitos muy distintos. No busca lo mismo Al Qaeda que el IRA irlandés, por ejemplo, o que los Tigres Tamilas de Sri Lanka, o que el Hamas palestino, o que aquella secta religiosa japonesa que esparció gas sarín en el metro de Tokio. Acabamos de verlo en España. Allá el presidente Aznar llevaba años diciendo que todos los terrorismos son iguales y que establecer diferencias entre ellos es caer en el juego de los terroristas. El que iba a ser su sucesor designado, Mariano Rajoy, sigue repitiendo lo mismo. Dice, textualmente:

«No hay mayor error que intentar explicar el fenómeno terrorista: si no entendemos eso y empezamos a buscar explicaciones políticas a los actos terroristas, me parece que vamos por muy mal camino».

Eso me parece una mentira y una imbecilidad. Una mentira porque Rajoy y Aznar saben perfectamente que los terrorismos son distintos. Tanto es así que cuando el 11 de marzo Al Qaeda cometió los atentados de Madrid, Aznar y su gobierno (o sea, Rajoy también) se esforzaron por engañar a la opinión pública haciéndoles creer que el culpable había sido la ETA vasca. Porque calcularon que así, en las elecciones de dos días después, los españoles votarían por ellos, por Aznar y los suyos, que habían sido muy duros con ETA. Pero les salió el tiro por la culata: la gente se dio cuenta de que el gobierno trataba de manipularla con mentiras, y lo castigó votando contra él y mandándolo al asfalto. Y digo que además me parece una imbecilidad porque cuando uno se niega a entender políticamente un fenómeno político, no lo puede resolver. Es lo que pasó aquí durante tantos años con la guerrilla, de la que decían que era simple bandolerismo. No era cierto. Ahora dicen que es simple terrorismo. Y tampoco es cierto. Entre otras cosas porque el terrorismo (los terrorismos) nunca es simple.

El paramilitarismo

JUAN LEONEL GIRALDO: *¿Por qué creen que los paras entraron en proceso de negociación?*

ENRIQUE SANTOS CALDERÓN: En el caso de Castaño, puede haber cierta fatiga o reblandecimiento. Tengo entendido que él está buscando una especie de salida digna. Quiere dedicarse a otras cosas, tiene una hijita… Hay explicables elementos de tipo subjetivo, y Castaño seguramente quiere legalizar su situación y, además, legalizar sus bienes. Todo esto ha producido tensiones en el interior del paramilitarismo. Son cerca de diez grupos distintos y algunos dicen que no, que no les parece, que mientras exista la subversión no se pueden desmovilizar. Hay fisuras y contradicciones entre los paramilitares. No son una estructura homogénea como las FARC. Castaño ha tratado de imponer su línea y esto ha producido choques enormes. Lo que pasó, por ejemplo, con el Bloque Metro, que lideraba el comandante Rodrigo, que tengo entendido está hoy colaborando con los Estados Unidos. Es un caso increíble, reflejo de las complejidades macondianas de nuestro conflicto armado. En el Bloque Metro, liderado por Rodrigo, un ex capitán del Ejército, el segundo al mando, su asesor de cabecera, era un ex guerrillero del ELN con una visión social y un discurso contrario al narcotráfico. Por eso, parece que Rodrigo comenzó a denunciar que los demás paras están metidos con el narcotráfico y que están jugando doble. Dijo una frase muy reveladora: «Fidel Castaño se levantaría de su tumba si se diera cuenta de que todas las tierras que él le repartió a los campesinos hoy en día están en manos de don Berna y otros narcos».

En fin, los conflictos interparas son pan de cada día. ¿Qué tal la matazón en Meta y Casanare? Las AUC de Castaño han tratado de imponer una hegemonía, pero otros jefes regionales (un Isaza en Santander, un Águila en Cundinamarca, un Martín Llanos en el Meta), tienen otras prioridades y se resisten. En teoría, desmovilizar a 10.000 hombres armados, como plantea Castaño, es algo positivo ¿Quién se puede oponer? Otra cosa es cómo, dónde y cuándo se hace y con quiénes. ¿Cómo se les resuelve su situación? ¿Se legalizan sus bienes? ¿Se les dan penas mínimas? Porque los jefes advierten que no quieren pagar un solo día de cárcel. ¿Qué armamento van a entregar? Las zonas que abandonan, donde ganaderos y comerciantes se han sentido protegidos por los paras, ¿van a enguerrillarse de nuevo? Entonces ¿qué? Si hay guerrilla, pues van a surgir otros grupos de autodefensa. Es un problema bien complicado. Pero no puede reducirse a resolverle un problema a la cúpula de las AUC.

ANTONIO CABALLERO: Estoy de acuerdo con eso. Se trata sólo de solucionarles un problema a unos jefes paramilitares que serán inmediatamente sustituidos por otros. Porque los paramilitares no existen por sí mismos: existen como respuesta a la guerrilla. Mientras exista la guerrilla, habrá grupos paramilitares organizados, como lo han sido éstos, por los terratenientes, por los narcotraficantes, y con el apoyo del Ejército. Seguirán siendo los mismos, aunque las personas cambien, porque siguen subsistiendo dos elementos fundamentales para que existan los paramilitares: uno es la guerrilla y otro es la financiación por parte del narcotráfico. Ellos mismos lo están diciendo: don Berna, por ejemplo: «Es que si abandonamos esto, la guerrilla se vuelve a tomar el Magdalena Medio». Que le pregunten al propio presidente Uribe qué pasaría con sus fincas de Montería si se desmovilizan las AUC allá.

ENRIQUE SANTOS CALDERÓN: También hay los que claramente no quieren cortar con el narcotráfico, como el caso de Hernán Giraldo, en la Sierra Nevada. Y, a propósito de esta zona, estuve con el presidente Uribe en la Sierra cuando fue en febrero a entregar los primeros cheques a setecientos y pico de familias del programa de guardabosques. Familias que se han comprometido a la erradicación manual de cultivos de coca y a cuidar el bosque. Iniciativa bonita y a primera vista convincente. Pero también hay que saber que esta zona es controlada por Hernán Giraldo. Todos esos campesinos que están recibiendo sus chequecitos se encuentran bajo su dominio armado y no tiene nada de raro que él les diga: «Perfecto, acepten esos fondos, arranquen los cultivos de acá, para que las Naciones Unidas vean y certifiquen, y después me van a cultivar allá a esta otra zona».

Mientras el control real —político y militar— esté en manos de esta gente, todos estos programas pueden resultar una engañosa utopía. Volvemos al fenómeno del paramilitarismo. Un poder paralelo que se viene implantando. Diferente al de la guerrilla, porque es *dentro* del sistema. Nace de su entraña aunque represente la negación de sus valores, normas y leyes. Implantándose a la fuerza en la política y la economía. En los negocios ilícitos —el narcotráfico, el robo de gasolina— o en los lícitos, como las cooperativas de salud. Este fenómeno paramilitar ya no son simplemente unas autodefensas que están ahí combatiendo la guerrilla en sus zonas; es toda una organización con proyecciones impresionantes.

El futuro

JUAN LEONEL GIRALDO: *¿Cómo ven a Colombia en el futuro, a diez años, a veinte años?*

ANTONIO CABALLERO: A diez años, muy mal; a veinte años, tal vez mejor. Yo creo que a la sociedad colombiana le falta todavía llegar mucho más al fondo de sus enfrentamientos y del horror de no querer solucionar sus enfrentamientos mediante la política, sino mediante la violencia. En este país llevamos mucho tiempo sin hacer política, dejando que la política sea sustituida por dos cosas: por un lado, la politiquería —no hacemos más que hablar de política, contar votos, etc.—; y por el otro lado, la violencia desnuda: les buscamos solución a los conflictos mediante la violencia y no mediante la política. La política es justamente lo que se inventó la civilización para evitar o reducir la violencia. No somos civilizados.

ENRIQUE SANTOS CALDERÓN: Esto se demora. Y volvemos al comienzo: no saldremos del atolladero sin resolver primero el problema de la violencia. Está muy enraizada y no hay solución mágica a corto plazo. Aun si estuviéramos en una dinámica de negociación real, se demoraría por lo menos diez años. Pero todavía nadie se mueve.

Uno ve a organizaciones como las FARC totalmente convencidas de sus métodos; uno ve al gobierno empeñado en la derrota militar; uno ve que cualquier colombiano del común, con un «fierro» en la mano, se siente alguien, que el arma le da dignidad y así lo respetan. Y eso es terrible. Es el culto a las armas en los jóvenes, que no tienen nada más. Erradicar eso no es de un día para otro, es bien complejo; pero sin erradicarlo no vamos a llegar a la convivencia, a hacer política en lugar de hacer la guerra. Ese es nuestro sino trágico. Esa facilidad para la violencia, esa cultura de la violencia.

Creo, sin embargo, que llegará un momento de saturación. No hay desangre que dure cien años, ni pueblo que lo resista. Lo que pasa es que la gente también se desencantó de los procesos de paz frustrados, de los diálogos tramposos, y hoy lo que se siente —y lo que interpreta Uribe— es la gana de resolver el conflicto por las armas. Y aunque no veo factible una derrota militar absoluta de la guerrilla, lo cierto es que sin un cambio drástico en la correlación de fuerzas en el escenario de la guerra o sin una presión militar eficaz y sostenida sobre los violentos, éstos jamás se sentarán a negociar de buena fe. Por otro lado, el hastío generalizado con la violencia debe llevar a una presión creciente por parte de la población sobre los grupos armados para que abandonen sus métodos.

Antonio Caballero: Las guerras civiles como éstas que tenemos —digo éstas, porque son varias: no son una sola, son muchas guerras, regionales, y por distintos motivos, aunque más o menos todas se metan en el mismo saco— sólo se terminan por hastío, salvo cuando se terminan por la derrota militar, el aplastamiento militar de uno de los dos lados, cosa que no veo posible de ninguno de los dos lados en Colombia, tal como están las cosas. Empezando porque los lados son por lo menos tres o cinco.

Pero en Colombia todavía no existe el hastío de la violencia y de la guerra. Aunque empieza a existir. Lo veía en estos días leyendo una entrevista con María Eugenia Zabala, la señora que se ganó el premio Cafam, que cuenta que ella creó una organización de supervivencia con quince viudas sin preguntar de quién eran, ni quién había matado a sus maridos. A lo mejor una era viuda de un asesinado por los paramilitares; otra, viuda de un asesinado por la guerrilla; otra, viuda de un asesinado por los militares. Son las mujeres quienes al fin de cuentas han llevado más el peso de la violencia en Colombia; tal vez matan más a los hombres, pero las mujeres se quedan con el peso de la vida. Las mujeres, en particular las madres, se quedan con el peso del futuro. Y ver esto de esta señora me hace pensar que efectivamente está empezando a sentirse el hastío de la guerra. Pero creo que todavía no es suficiente, creo que todavía hay demasiada gente en Colombia interesada en la guerra, que aprovecha la guerra, cuyos intereses son favorecidos por la guerra, tanto de un lado como del otro. Y por lados exteriores también: los comerciantes de armas.

Y volvemos a una cosa con la que creo que empezamos, que es el narcotráfico. Mientras el narcotráfico dé plata «pa' botar pa' lo alto», aquí seguirá la violencia. Porque es una violencia, por un lado, artificialmente creada; y por otro lado, artificialmente financiada; pero financiada de sobra.

JUAN LEONEL GIRALDO: *A propósito,* Vanguardia *de España publicó una entrevista con Enrique Gómez Hurtado, que coincidía con ustedes en el sentido de que hay que legalizar la droga.*

ENRIQUE SANTOS CALDERÓN: Es que hasta los sectores más lúcidos de la derecha económica en los Estados Unidos y Europa entienden el fenómeno y la insensatez de las políticas que se han aplicado.

ANTONIO CABALLERO: La derecha inteligente, o *The Economist*, en Inglaterra; pero que lo diga Enrique Gómez Hurtado, que no es la derecha inteligente…

ENRIQUE SANTOS CALDERÓN: Esa posición tiene que ir ganando adeptos. Mientras sea ilegal la economía de la droga, va a ser próspera y va a generar violencia y corrupción. Eso es un axioma.

4
La política

El Congreso

JUAN LEONEL GIRALDO: *¿Se han dado cuenta de que hasta ahora no han hablado del Congreso...?*

ANTONIO CABALLERO: Hablemos del Congreso. Leía hoy una... Empecé a leer hoy una entrevista con Fernando Londoño, el ex ministro, en que decía... En realidad lo único que he leído es el pie de foto, no he leído todavía la entrevista; pero en el pie de foto decía que sus elogios al Congreso no habían sido ni mucho menos oportunistas, sino que él considera que un país que no tiene un Congreso respetado y respetable no puede funcionar democráticamente.

Estoy de acuerdo con eso: yo también creo que un Congreso debe ser respetado y respetable; pero debe ser respetado y respetable porque es respetable y, en consecuencia, respetado; no porque lo diga «oportunistamente» un ministro a quien el Congreso le ha aprobado unas cuantas cosas que él deseaba. Dice que se trata de un «Congreso admirable» a sabiendas de que no lo es. Es decir, volvemos un poco a lo mismo de Cepeda, de hace un rato: preséntense como de «centro-izquierda», porque si no, no van a ganar. Digan que el Congreso es admirable, porque si no, la gente no lo va a respetar. No, el Congreso se hace respetar si es respetable, y no porque un ministro lo llame respetable para que le apruebe cosas. Y creo que el Congreso colombiano no es respetable.

ENRIQUE SANTOS CALDERÓN: El Congreso colombiano, como imagen institucional, goza de una bien ganada mala reputación. Sin embargo, me pregunto: ¿hasta dónde satanizar permanentemente al Congreso, generalizar injustamente sobre sus corruptelas, no reconocerle nada bueno, puede minar ese exponente esencial de la democracia que es el poder legislativo? Ha sido, y sigue siendo, un Congreso esencialmente venal y nada ejemplar, pero deberíamos concentrarnos más en diferenciar lo bueno de lo malo. Vigilarlo, montarle mecanismos implacables de fiscalización pública, de rendición de cuentas, etc. Pero no podemos ser tan drásticos y descalificar al Congreso de arriba abajo.

Flaco favor se le hace a la democracia colombiana, y a la posibilidad de profundizarla, si no reivindicarnos los elementos valiosos del Congreso. Yo creo que ha ido mejorando, que hoy trabaja mucho más que antes. Persisten, sí, toda suerte de procedimientos viciosos, muchas veces culpa del propio ejecutivo, que se dedica a comprar su apoyo con puestos, auxilios y partidas.

Hay que propender a que el Congreso recupere dignidad y a que allí lleguen personas honestas, que les respondan a sus electores, que propongan leyes y ejerzan el control político del gobierno. Ya se notan corrientes parlamentarias estudiosas y con personalidad que dan debates a fondo, que cuestionan las políticas del gobierno y que aportan de una manera positiva. Son fenómenos aún minoritarios, pero yo creo que en el propio Congreso hay creciente conciencia sobre la necesidad de mejorar su imagen.

En muchos sectores se nota un deseo honesto de reformarse, de reivindicarse con la opinión pública; y es que la imagen del Congreso en todas las encuestas de opinión pública es deplorable. Figura en los rangos más bajos con índices de impopularidad del 70%. Esto es inquietante, cuando se supone que el Congreso es elemento esencial de la democracia. Pero pienso que está mejorando, poco a poco, y que el Congreso hoy en día se siente más empoderado y envalentonado; más consciente de su autonomía. Ojalá la sepa aplicar para el bien común y no en provecho propio.

Antonio Caballero: Yo estoy completamente de acuerdo con que el Congreso es un elemento fundamental de la democracia. Creo que es el elemento central de la democracia, mucho más importante que el poder ejecutivo; y, por supuesto, necesario. Pero tan importante es el Congreso como el poder judicial.

En mi opinión, son mucho más importantes esos dos, aunque el otro sea necesario para que las cosas funcionen. Sería, naturalmente, magnífico que el Congreso fuera digno de respeto, cosa que en la práctica no lo es.

Pero yo creo que el problema viene de que hay un poder, el cuarto poder, que no funciona en este país. Según la separación tradicional, los poderes son el ejecutivo, el legislativo y el judicial. Pero hay un cuarto poder, que es el poder electoral. Y lo que no funciona en este país son las elecciones, de las cuales viene todo lo demás, y que en teoría justifican y legitiman todo lo demás.

Resulta que las elecciones están tan corrompidas en este país que, por ejemplo, a nadie le pareció raro que porque Ernesto Samper gastó más plata —la plata de los «narcos»— en la segunda vuelta de las elecciones presidenciales de su momento, las ganara. A nadie le extraña que la campaña electoral de un candidato al Senado, un candidato a la Cámara de Representantes o un candidato a las asambleas departamentales cueste cientos o a veces miles de millones de pesos. Le parece a todo el mundo que es normal que las elecciones se ganen con plata, porque se supone que las elecciones se compran, de una u otra manera. Bien porque se compran directamente los votos de los votantes —como se hace en la costa, a cambio de un trago o de un almuerzo—, o bien porque la publicidad, que se hace a través de la televisión —donde los anuncios cuestan muy caro—, es la que convence a los electores de que hay que votar por el uno o por el otro, que es, en fin de cuentas, el que ha gastado más plata.

Y aquí —dada la desaparición de los partidos en Colombia—, cada político actúa por su cuenta, a título exclusivamente personal. Salen elegidos únicamente los que invierten más plata; y los que invierten más plata necesitan, en consecuencia, recuperar esa plata y, para eso, corromperse. Porque es imposible que una persona normal en Colombia, con excepción de dos o tres grandes «cacaos», se gaste en una campaña electoral para el Senado tres mil o cuatro mil millones de pesos. Es decir, nadie tiene esa plata; y, sin embargo, esa es la plata que se gasta cada parlamentario. Ni siquiera cada parlamentario: cada candidato al parlamento, tanto los que ganan como los que pierden.

¿Esa plata quién la paga, entonces? La pagan o los grandes «cacaos» o el narcotráfico, fundamentalmente. Recuerdo hace unos años una declaración de no sé qué parlamentario que decía que las únicas tres personas que tenían influencia en el Congreso de la República eran Augusto López —que era en ese momento el hombre que manejaba el Grupo Santo Domingo—, Pablo Escobar y los hermanos Rodríguez Orejuela.

ENRIQUE SANTOS CALDERÓN: Es plata... no solamente del narcotráfico y de los grandes grupos económicos, sino también del propio tesoro público.

ANTONIO CABALLERO: Cualquier tipo de corrupción, ya lo dije.

ENRIQUE SANTOS CALDERÓN: Porque tienen que «recuperar la inversión». Si se calcula que una senaturía puede costar más de mil millones de pesos, ¿cómo recupera el congresista la plata gastada en su campaña? Pues con el erario o a través de devolver favores a quienes lo financiaron. Éstos pueden ser narcos, paras, «cacaos» o cualquier otro interés. Forma parte de la perversión del Congreso al que de todos modos va llegando gente con ideas y principios. Hay parlamentarios interesantes provenientes de la izquierda, como Navarro, Petro o Carlos Gaviria; liberales decentes, como Rodrigo Rivera; independientes honestos, como Clopatofsky; gente muy preparada, como Darío Martínez.

Estamos viendo cada vez más parlamentarios —se me escapan muchos nombres— que cumplen su función, pero la raíz del problema es la perversión del sistema electoral. En un país donde la compra de votos es tan descarada, con cuerpos electorales obsoletos y con un sistema de cedulación totalmente viciado e imperfecto, es muy difícil garantizar una democracia limpia. Cómo será la cosa que el propio procurador ha dicho que es una insensatez seguir haciendo elecciones con el actual sistema y la Registraduría que tenemos. Se presta a situaciones tan perfectamente surrealistas como permanentes las demandas por parte de los candidatos a congresistas que pierden contra los que ganan por supuestos fraudes y trampas. Demandas que se demoran tres y cuatro años en el Consejo de Estado y que cuando se fallan en contra de la elección de tal o cual tipo, pues éste ya cumplió su período, o le falta muy poco. Todo el tiempo vemos eso y es tragicómico.

Mientras no haya una reforma drástica de la Registraduría, mientras no se modernice el sistema de cedulación, mientras no sepamos quiénes somos ni dónde estamos, no habrá plena garantía sobre la pureza del sistema electoral, esencia misma de la democracia.

Antonio Caballero: Pero justamente vimos eso hace unos cuantos meses, cuando el presidente Uribe perdió su referendo. Él y su ministro del Interior y de Justicia trataron de hacer pasar el referendo pidiéndole al poder electoral, al Consejo Nacional Electoral, que aceptara que los votos eran otro número de votos, que no había que contar tantos votos. El problema es que llevamos sesenta años, desde que Laureano Gómez hablaba de las doscientas mil cédulas falsas, en los que todo derrotado en Colombia alega que no fue derrotado, sino que el sistema electoral es ineficiente. Y lo es, en efecto.

ENRIQUE SANTOS CALDERÓN: Es una de las raíces del mal, y sin embargo no es tan difícil corregirlo. Este gobierno lleva patinando, y el gobierno pasado también, sobre qué sistema se adopta para emitir las cédulas: que si la tecnología francesa, que si la gringa; una decisión que cuesta, creo, 130 millones de dólares, que ayudaría a resolver un problema verdaderamente de fondo. Mientras las elecciones en Colombia no inspiren una confianza plena ni en los electores ni en los elegidos, pues de qué estamos hablando.

JUAN LEONEL GIRALDO: *Sin embargo, el Congreso mismo, a través de todas las reformas, ha sido debilitado...*

ENRIQUE SANTOS CALDERÓN: No, debilitado no. Se trata de volverlo más transparente, más eficiente; de ponerle mecanismos de control que vayan desde contabilizar la asistencia; cuántos proyectos de ley presentan los congresistas, qué intereses sirven, qué mecanismos implantar para que respondan a sus electores, hasta cómo reglamentar mejor las pérdidas de investidura, las inhabilidades y la disminución de los auxilios. Yo creo que todo eso iría en dirección de fortalecer y no de debilitar al Congreso.

ANTONIO CABALLERO: Yo creo que habría que fortalecer al Congreso y debilitar a los congresistas. Los congresistas son, en mi opinión, excesivamente poderosos en sus respectivas regiones; porque ellos son los que pueden —en buena parte a través de ese viciado y vicioso mecanismo de los auxilios parlamentarios, que van cambiando de nombre a medida que van siendo «reformados», pero que siguen idénticos— garantizar que se gaste dinero público en sus regiones o no, pueden conseguir que les den plata a los alcaldes o no, pueden conseguir que las Umata locales o todo ese tipo de organizaciones locales que se han multiplicado tanto en los últimos años, desde la Constitución de 1991, reciban o no reciban dinero.

El poder de un congresista es infinitamente mayor, desde ese punto de vista, que el poder del Congreso, porque el Congreso ni siquiera tiene la iniciativa del gasto; en cambio, regionalmente hablando, los congresistas sí la tienen.

ENRIQUE SANTOS CALDERÓN: La tan controvertida financiación estatal de las campañas es teóricamente correcta, es decir, que los candidatos no tengan que depender para sus campañas del «cacao» o del narco o de la expectativa de recuperar lo invertido a través del zarpazo al erario. Pero falta control paralelo sobre los aportes del capital privado que después busca retribuciones; falta control sobre la infiltración del narcodinero, y sobre la presión que la guerrilla y los paras ejercen sobre el proceso electoral.

En todo caso, la mala imagen y el desprestigio del Congreso en los últimos años han sido merecidos, y es una cosa que lesiona la credibilidad de la democracia colombiana. ¿Qué tal lo que soltó un jefe paramilitar, que «más de un 20% de los congresistas son nuestros»? Afirmación provocadora y descarada que deja por los suelos la legitimidad del Congreso.

JUAN LEONEL GIRALDO: *Y son los jóvenes, precisamente, uno de los sectores que entre los nuevos votantes más distancia o más desconocimiento, o más apatía, tienen ante el Congreso...*

ENRIQUE SANTOS CALDERÓN: Es parte de un fenómeno más generalizado: el desprestigio de la «política», que tampoco es bueno. En la opinión pública general en Europa y América hay una aversión a la política. Hacer política es sinónimo de algo sucio, de una forma poco noble de ganarse la vida, de negocios chuecos, y eso —a la larga— lo que puede favorecer son fenómenos populistas, caudillismos autoritarios, que plantean abolir el sistema parlamentario. Lo grave es que el desprestigio ya no sólo es de la política y del Congreso, sino de casi todas las ramas del poder público. ¿Qué tal la imagen de la justicia? Ese descrédito tan generalizado es terreno fértil para el surgimiento de propuestas autoritarias y antidemocráticas.

ANTONIO CABALLERO: Eso es muy peligroso, pero es perfectamente comprensible y explicable. Está sucediendo también en otro campo: hay un creciente desprestigio de la profesión médica, porque vemos que la mayor parte de los médicos recetan los remedios que los laboratorios farmacéuticos multinacionales les recomiendan recetar y reciben beneficios de esos mismos laboratorios farmacéuticos. Me parece gravísimo que se desprestigie la medicina, porque la medicina es una cosa tan absolutamente necesaria como en otro campo lo es la política. Entonces, ¿quiénes ocupan el campo dejado por el desprestigio de los médicos? Los teguas. Yo no es que no crea en los teguas, creo que los teguas tienen mucha razón en muchísimas de las cosas que recetan o que hacen, pero lo suyo no tiene control científico de ninguna índole; se presta, mucho más que la medicina misma, al charlatanismo. Es lo que pasa con los políticos no políticos. Más que un político-político es, Regina 11, digamos, política-no política, política-antipolítica.

ENRIQUE SANTOS CALDERÓN: Metapolítica. Es decir, más allá de la política.

ANTONIO CABALLERO: O Antanas Mockus, que es «político visionario». Entonces, desaparecida la respetabilidad de los políticos, la respetabilidad de los partidos políticos, eso no deja un vacío, sino que ese vacío se llena con cosas que pueden ser aun peores. Pero digo: no ocurre eso sólo en la política, ocurre en la medicina o, yo qué sé... en la mecánica, supongo.

La nueva izquierda

JUAN LEONEL GIRALDO: *¿Cómo ven movimientos como el Polo?*

ENRIQUE SANTOS CALDERÓN: El Polo Democrático es el producto positivo de los fracasos, errores y bandazos de lo que ha sido aquí la izquierda marxista. Porque es la síntesis autocrítica de sus derrotas y fracasos, de su poco éxito electoral, de su escasa capacidad de convocatoria y credibilidad. El Polo es una izquierda más aterrizada en la realidad nacional, sin deformaciones leninistas ni guerrilleristas, que coincidió con un momento de crisis social y de malestar popular, en el que muchos colombianos están buscando otras alternativas políticas. La audiencia electoral que tuvo el Polo demuestra que puede convertirse en alternativa de poder, siempre y cuando demuestre la seriedad y capacidad para serlo.

Porque yo sigo viendo síntomas de inmadurez, de sectarismo interno, de pequeñas pugnas izquierdistas que podrían demolerlo. Sería una lástima, porque este país necesita en su panorama político la presencia de una izquierda democrática sólida y seria, que llegue a ser opción de poder; pero aún se notan viejos vicios de protagonismos y caudillismos. De hecho, ya tiene su «oposición de izquierda» en el Frente Social y Político, que integran el Partido Comunista y sectores del MOIR, y que lidera el respetado y venerable constitucionalista Carlos Gaviria. El Frente ya cuestiona al Polo por conciliador y centrista. Rezagos inmaduros de una izquierda a la que aún le falta real vocación de gobernar, para llegar a ser como el Partido de los Trabajadores en Brasil, que llevó al poder a Lula.

El futuro del Polo Democrático dependerá en parte del desempeño de Lucho Garzón como gobernante de la primera ciudad del país. Reto y responsabilidad enormes. Y veo a Lucho un poco disperso y desubicado. Algo inseguro, excesivamente prevenido ante la crítica, con conflictos dentro de su equipo que debe resolver pronto. Aspiro a que Garzón sea un gran alcalde, que Bogotá siga progresando y que la izquierda democrática demuestre que tiene fórmulas eficaces y más equitativas de gobierno.

ANTONIO CABALLERO: Sí, yo creo que el Polo no tiene precedentes en Colombia, salvo quizás el M-19 en un brevísimo momento de euforia, en el momento de las elecciones a la Constituyente, cuando las listas del M-19 se convirtieron en la tercera fuerza del país. Es la primera vez que la izquierda gana electoralmente cargos considerables. La Alcaldía de Bogotá, en primer lugar, y también la Gobernación del Valle, lo que no es ninguna tontería, porque es el departamento cuya clase dirigente es la más reaccionaria de Colombia. Es la primera vez, digo, y lo que pasa es que la izquierda colombiana no tiene ninguna costumbre de la victoria, tiene la costumbre de la derrota, está acostumbrada a la derrota, cuando ha participado en elecciones. Elecciones que han sido, por lo demás, muy discutidas por buena parte de la izquierda colombiana como una trampa, una farsa, la famosa frase de Camilo Torres: «El que escruta, elige».

Es eso lo que, entre otras cosas, le ha dado tal fuerza a la lucha armada como única solución posible para que la izquierda se convierta en una alternativa de poder. Y hay cosas que efectivamente respaldan esa tesis. Una de ellas es que la izquierda democrática ha sido sistemática y físicamente exterminada. Creo que de eso ya hablamos. Es el caso de la Unión Patriótica. Y sigue siendo así. Por ejemplo, Colombia es en este momento el país del mundo donde son asesinados más sindicalistas. La Unión Patriótica era un partido que había abandonado las armas, que venía de las filas de las FARC...

ENRIQUE SANTOS CALDERÓN: No estoy enteramente de acuerdo con que la Unión Patriótica fue un partido que abandonó las armas y fue masacrado por el hecho de que representaba la posibilidad de una alternativa de izquierda democrática. En parte eso es cierto. El fenómeno de la Unión Patriótica despertó todas estas represalias, pero no podemos olvidar que la Unión Patriótica fue lanzada por las FARC, en la época de los diálogos con Belisario, como un experimento para medir terreno y hacer política legal, y sin embargo nunca abandonaron del todo su combinación de las formas de lucha, mientras exponían a todos estos cuadros a la plaza pública. Muchos del Partido Comunista, algunos salidos directamente de las propias FARC, como Iván Márquez o Braulio Herrera, que llegaron al Congreso. Pero las FARC nunca suspendieron del todo sus acciones armadas ni sus secuestros ni sus tácticas de extorsión y, algo muy grave, comenzaron en juegos muy chuecos con los «narcos». El fenómeno de Rodríguez Gacha, «el Mexicano», tiene mucho que ver con el comienzo de la matazón de la UP. Porque las FARC le «tumbaron» cantidades de coca y eso no lo perdona un mafioso sanguinario y serio.

Las FARC, al no jugar limpio, expusieron a sus cuadros legalizados a una represalia evidente. Los ganaderos, que en medio de la tregua seguían siendo secuestrados; los «narcos» tumbados, y también los militares, buscaron cómo sacarse el clavo, pues ante la imposibilidad de caerles a las propias FARC, que seguían armadas y encaletadas en sus refugios selváticos, el blanco evidente estaba ahí, la gente de la UP. Fue un exterminio horrible, indigno de un Estado de derecho y de su brazo armado. Pero buena cuota de responsabilidad les cabe a las FARC y a su eterno doble juego.

JUAN LEONEL GIRALDO: *En Colombia se practica una barbarie balcánica, que es la de matar al enemigo desarmado.*

ANTONIO CABALLERO: Es que es más fácil matar al enemigo desarmado que al enemigo armado. Eso es así. Pero, además, hay una tradición en Colombia, tanto de la izquierda como de la derecha, que es la del doble juego. Todo el mundo juega aquí con cartas marcadas, y lo ha hecho, yo diría que probablemente desde la Conquista; o si no, por lo menos, desde la Independencia. Aquí nunca nadie entra en el juego de la política aceptando de antemano la posibilidad verdadera de per-

der. No sólo en la política. Hay toda una cultura del «tumbe».
Aquí se trata de «tumbar» al otro. Aquí no se trata, ni en un
negocio, ni en la política, de que salga ganando todo el mundo: alguien tiene que salir «tumbado». Eso no creo que sea una
cosa exclusivamente de la izquierda, ni mucho menos.

ENRIQUE SANTOS CALDERÓN: Pero veamos las cosas con más
optimismo. Es reconfortante que en la Colombia polarizada y
violenta de hoy haya elecciones que reivindiquen una democracia política; que crezcan los polos democráticos y los frentes sociales; que sindicalistas que fueron miembros del Comité
Central del Partido Comunista ganen la elección popular más
importante después de la presidencial; que en Medellín triun-
fe un candidato de avanzada como Sergio Fajardo, en contra
de todos los políticos tradicionales; que Angelino Garzón gane
la Gobernación del Valle, y que en los antiguos territorios nacionales ganen movimientos indígenas… Son síntomas de que
no estamos tan mal, de que en medio de la guerra de los extremos el pueblo busca espacios de tolerancia y cambio pacífico.

Hemos ganado en cultura política y en apertura democrática, sobre todo en las ciudades grandes. Colombia ha dado una
prueba de ejercicio democrático que incluso desconcertó a tanto
analista internacional que no entendía que en la república de
Uribe —un gobernante de «extrema derecha»— se produjeran
esos fenómenos políticos: que el autoritario presidente pierda
un referendo, que sus candidatos pierdan elecciones en Bogotá y otras ciudades, y que crezca una izquierda que lo cuestiona. Bajo un gobierno que, se suponía, está llevando el país a la
derecha, lo que demuestra que tenemos bases sólidas de tradición y madurez democrática, que debemos saber valorar.

Antonio Caballero: En ese sentido, yo también quiero ser optimista, subrayar las cosas positivas. No sólo la victoria de Lucho Garzón en Bogotá, sino el hecho de que un personaje como Lucho Garzón, con su pasado de militante comunista y miembro del Comité Central, no hubiera sido macartizado durante toda la campaña electoral. Cuando Lucho era miembro del Partido Comunista, el Partido Comunista y las FARC eran uña y carne, pero no se le dijo a Lucho Garzón que él fuera responsable de los crímenes de las FARC. En ningún momento se agitó el fantasma del comunismo, sino que Lucho era considerado por sus adversarios, Juan Lozano y María Emma Mejía, como un candidato perfectamente legítimo en sus credenciales democráticas, y no como un sospechoso de ser partidario de la dictadura del proletariado.

Enrique Santos Calderón: En parte porque Lucho y su gente supo diferenciarse de manera clara de la lucha armada. Y rechazarla sin ambages. Esto también caló entre la gente que busca una izquierda que no sea sinónimo de violencia y bombas.

Antonio Caballero: Lo que digo es que sus rivales, que hubieran podido perfectamente macartizarlo, no lo hicieron.

Enrique Santos Calderón: Otro signo de tolerancia y madurez. La pregunta es cómo recibieron las FARC o el ELN la lección de las urnas. No sé qué análisis interno habrán hecho del fenómeno de Lucho, Angelino, etc. Tendrían que entender que hay amplio terreno social abonado para un trabajo político civilizado. Pero me temo que no. Lo que sé es que consideran a Lucho como un farsante y un oportunista que va a fracasar, porque ya no cree en la violencia revolucionaria. La arteriosclerosis mental de las FARC es más preocupante que la supuesta prostatitis de Tirofijo.

JUAN LEONEL GIRALDO: *Pero* Voz *lo ve muy bien, y el Partido Comunista también, y la Alternativa Democrática también...*

ENRIQUE SANTOS CALDERÓN: Pero *Voz* hace tiempo que no influye sobre las FARC. La combinación de las formas de lucha se redujo exclusivamente a la armada. Las FARC han querido «enguerrillar» a los líderes agrarios del Partido Comunista en todas sus zonas. No aprenden ni olvidan.

Los sindicatos

JUAN LEONEL GIRALDO: *El sindicalismo hoy está más debilitado, más perdido que nunca, más golpeado...*

ENRIQUE SANTOS CALDERÓN: Golpeado por esa cultura de violencia —en este caso de la derecha—, que identifica a la izquierda sindical con la subversión, y por su propia debilidad en un país donde el porcentaje de la población trabajadora que está sindicalizada no llega al 8%. Debilitado también por la imagen de privilegio y rosca que tiene un puñado de sindicatos «combativos» entre una gran población trabajadora que no disfruta de tantas prebendas. Sindicatos como el de Telecom, el de la USO o el del Acueducto de Bogotá, que tienen unas convenciones colectivas estrambóticas, son una real oligarquía que no suscita solidaridad alguna entre los millones de colombianos desesperados por conseguir cualquier trabajo.

Antonio Caballero: También es que el sindicalismo, con excepción de un par de grandes empresas, yo qué sé, Bavaria, por ejemplo, está fundamentalmente concentrado en las empresas del Estado o que fueron empresas del Estado. Así, en Telecom, en Ecopetrol, en las empresas públicas de los municipios y de los departamentos. Y en ellas han obtenido prebendas absolutamente asombrosas, porque son empresas manejadas siempre por políticos, y los políticos han cedido a todas las demandas de los sindicatos, por delirantes que fueran, por absurdas que fueran, y han quebrado las empresas a cambio de su propio avance político. Eran gerentes-políticos, no gerentes-gerentes. De todas maneras, cuando se privatizan grandes empresas de ese estilo y se logran romper las prebendas excesivas que han conseguido los sindicatos, sucede que lo que era ventajosísimo para, digamos, mil o dos mil empleados, empieza a ser ventajosísimo para un solo dueño. Con lo que yo no veo cuál es el progreso que hay en esas privatizaciones, realmente.

Juan Leonel Giraldo: *Las privatizaciones han golpeado tremendamente a los obreros y los empresarios nacionales en todo el mundo.*

Antonio Caballero: Lo que pasa es que las mayores víctimas del TLC van a ser los campesinos, y aquí los campesinos ya no están sindicalizados. Pasó la hora de gloria de ANUC (Asociación Nacional de Usuarios Campesinos), y no creo que haya en este momento ningún tipo de sindicalismo en el campo. O, ¿sí lo hay?

ENRIQUE SANTOS CALDERÓN: Los trabajadores bananeros de Urabá, que han logrado sobrevivir a todos los fuegos cruzados de guerrilla y paras. Pero, como decíamos antes, otro golpe al campo con el TLC, como el que se sufrió bajo la apertura de Gaviria y Hommes, tendría incidencias imprevisibles sobre el conflicto armado. El sector agrario es el que más va a sentir un TLC, y esto se debe tener en cuenta en un país con nuestras complejidades insurreccionales.

En cuanto al TLC, si uno analiza el caso de México y compara hoy a México con Brasil o a Chile con Argentina, en términos de producto interno bruto o de intercambio comercial con los Estados Unidos, es muy grande la diferencia a favor de los que firmaron el acuerdo bilateral. El TLC tiene costos, sin duda, y ya golpea sectores, pero el efecto global sobre la economía ha demostrado ser positivo en ambos países, en generación de empleo, en crecimiento económico, en irrigaciones a muchos sectores. Lo importante es cómo se negocia, sobre todo en las circunstancias de un país como Colombia, con un sector agrario tan vulnerable y potencialmente explosivo.

JUAN LEONEL GIRALDO: *Falta profundizar más el efecto del TLC sobre otros sectores, no solamente sobre el campesinado, sino sobre los productores nacionales...*

ANTONIO CABALLERO: Yo supongo que, entre otras cosas, va a tener un efecto sobre algo que hasta ahora no existía en Colombia prácticamente, que es la maquila. La maquila es una cosa que da muchísimo empleo en México, y lo ha dado durante bastantes años. En Colombia, ese tipo de estructuras no existía.

ENRIQUE SANTOS CALDERÓN: Al sector privado, empresarial, lo veo muy rezagado frente a lo que se viene, muy encerrado en sí mismo, sin mucha audacia ni vocación exportadora.

ANTONIO CABALLERO: Su «vocación exportadora»... Eso parece ser una especie de artículo de fe, que Colombia debe ser un país, ante todo, exportador. No veo por qué exportar. Yo creo que ha habido algunos momentos, tal vez en el gobierno de Carlos Lleras Restrepo, con la sustitución de importaciones y todo ese tipo de cosas, en que se intentó con cierta coherencia crear un mercado interno; pero eso no duró sino esos cuatro años. Yo estoy convencido de que los países sólo se pueden desarrollar económicamente a partir de su propio mercado interno. A partir de que sus propios habitantes consuman sus propios productos, un consumo que a la vez genera riqueza. Pero cuando eso empieza a suceder —ha ocurrido a veces, brevemente— nuestros economistas se aterran: ¡horror! ¡La gente está consumiendo! ¡Viene la inflación! ¡Hay que disminuir la demanda agregada! Y como la gente no sabe que esas palabras abstrusas, demanda agregada y cosas así, son el consumo de la gente, el bienestar de la gente... Todos los países económicamente desarrollados se han desarrollado apoyándose en su propio consumo, en su propio mercado. La China, que se está desarrollando ahora, lo está haciendo así. Es la única manera.

JUAN LEONEL GIRALDO: *Hay un punto: los países del norte sí pueden subvencionar y a nosotros nos lo impiden.*

ANTONIO CABALLERO: Nosotros también podemos.

ENRIQUE SANTOS CALDERÓN: Sí, los precios de sustentación que se les han dado a los agricultores del café, por ejemplo.

ANTONIO CABALLERO: Pero eso es lo que nos quieren prohibir.

ENRIQUE SANTOS CALDERÓN: Lo quieren prohibir, pero ellos no lo prohíben para sus productores agrícolas. Es más: los subsidios en Estados Unidos a los agricultores no serán tema de discusión —ya es hecho cumplido—. Lo que se discutirá son los aranceles, que es lo que ha defendido a nuestros productos. Me preocupa que nos cojan con los calzones abajo.

5
Todos al centro

Precandidaturas

JUAN LEONEL GIRALDO: *Hablemos de los factibles candidatos presidenciales que se están perfilando.*

ANTONIO CABALLERO: Uribe. En eso estamos, sí, hablemos de candidatos. Es que en Colombia siempre se habla del candidato siguiente. No acaba de ser elegido Uribe cuando ya se está pensando en quién va a ser el próximo candidato. Sí, Uribe mismo, ahora que se habla de reelección. O si no, ¿quién? Me parece que eso es una perversión psicológica-política que tenemos los colombianos. Nunca le permitimos gobernar a ningún gobernante, sino que estamos pensando en cuál va a ser su sucesor y en qué va a hacer su sucesor.

ENRIQUE SANTOS CALDERÓN: Aquí sí se necesita un período presidencial más largo o la reelección. Después de Uribe y no a partir de él. Cuatro años es muy poco, y prohibir para siempre la posibilidad de reelegir a un presidente bueno es absurdo.

ANTONIO CABALLERO: Cuatro años es muy poco, y también es mucho. ¿Qué tal seis años de Pastranita? Lo vemos en todos los países en que hay reelección presidencial o en los regímenes parlamentarios de repetición indefinida de un partido. En España fue bueno el primer período de Felipe González y sus socialistas, y nefasto el segundo, con su mayoría absoluta y su corrupción. Y fue bueno el primer cuatrienio de Aznar y su derecha minoritaria, y muy malo el segundo, con su mayoría absoluta (también él), y su arrogancia absoluta.

En Gran Bretaña esta segunda etapa de Tony Blair está resultando espantosa, como fue espantosa la de la señora Thatcher: borran con el codo... Y esos interminables mandatos presidenciales de Francia: el septenato. Y los sexenios mexicanos... Acuérdense, en México, de Fox al principio, de Zedillo al principio, de Salinas de Gortari al principio. Y acuérdense de los finales. No: una reelección o un período largo son malos en todo momento, y en todas partes. Lo que corrompe a un gobernante —en todos los sentidos— no es tanto el poder absoluto, como decía lord Acton, cuanto el poder indefinidamente prolongado. Ramsés II en Egipto, Luis XIV en Francia, Papa Doc (François Duvalier) en Haití: da igual.

ENRIQUE SANTOS CALDERÓN: Al año de elegido un presidente, ya se está pensando en quién va a sucederlo. Por eso estamos en esto: quién va a suceder a Uribe, porque no creo que su reelección marche. Todo indica que será una persona que lo interprete, que sea percibida como un sucesor del gobierno de Uribe o que esté identificada con su política de seguridad. Porque no creo que Uribe, con lo que le queda, vaya a lograr pacificar al país como quisiéramos. Pero ese anhelo de seguridad va a estar vigente para el próximo debate electoral, a menos que haya un quiebre inesperado en la situación, se desplome todo el esquema uribista y se dé un viraje radical de la opinión hacia otras alternativas. Algo que no se puede descartar en Colombia, con una opinión pública tan volátil y veleidosa.

Pero, como están las cosas, la gente buscará a un candidato con el talante de Uribe. Hay personas que no se pueden descartar aunque tengan un perfil distinto. Un Antanas Mockus, por ejemplo. A mí no me extrañaría que en un momento dado un tipo como Uribe, que es bastante impredecible, acabara haciéndole el guiño a un Antanas y no a un Peñalosa o a un Vargas Lleras.

ANTONIO CABALLERO: Sobre eso yo tengo varias cosas que decir. Una, que Uribe lleva año y medio, es decir, le faltan dos años y medio. Yo no sé si dentro de dos años y medio Uribe va a contar con la popularidad suficiente como para que un guiño suyo tenga alguna influencia sobre los resultados electorales siguientes. Otra, que desde que se acabó el Frente Nacional en este país, donde estaba previsto y cantado de antemano quién iba a ser el siguiente presidente —era la fila india con la alternación liberal-conservadora—, ningún presidente ha sido el que estaba previsto cuatro años antes. A veces por razones de fuerza mayor, como el asesinato de Galán, cosa imprevisible por supuesto, pero al mismo tiempo no demasiado sorprendente en Colombia. Otras veces, por el fracaso de una política: cuando Pastrana subió a la Presidencia, subió como la esperanza del pueblo colombiano; y un año después se hubiera podido pensar que quien continuara con la política de paz de Pastrana sería elegido presidente por los colombianos.

ENRIQUE SANTOS CALDERÓN: Pero es que a Pastrana la popularidad le duró tres meses. Pastrana fue elegido más bien como un rechazo a lo que había sido Samper. Y Uribe como rechazo al fracaso de Pastrana con la guerrilla.

ANTONIO CABALLERO: Justamente eso es lo que es posible, que el próximo sea elegido como un rechazo a lo que haya sido Uribe para entonces. Es una de las posibilidades que hay.

JUAN LEONEL GIRALDO: *Factor FARC eligiendo.*

ENRIQUE SANTOS CALDERÓN: Por tercera vez.

ANTONIO CABALLERO: Por tercera vez. No sé si mencionamos a Íngrid Betancourt. A mí no me extrañaría que las FARC pudieran manipular con tal acierto el momento en que liberen a Íngrid Betancourt, y que sea arrasadoramente elegida presidenta de la República. Con lo cual tendríamos lo que parecía imposible: un presidente aún peor que todos los anteriores.

ENRIQUE SANTOS CALDERÓN: Es interesante lo que plantea Antonio, pero yo francamente no veo eso, salvo que en los dos años y medio que le quedan a Uribe factores como una gran explosión social, un desbarajuste del orden público o una ola de terrorismo incontenible desbaraten toda ilusión de seguridad.

La sensación de seguridad también es psicológica y, por eso, vulnerable y frágil. Hay que recordar las macabras lecciones de Pablo Escobar sobre cómo se puede poner de rodillas a un país a punta de carros bomba en lugares públicos. Un fracaso rotundo de la estrategia de seguridad de Uribe podría llevar a la gente aún más a la derecha o, por el contrario, a buscar opciones en la izquierda democrática.

JUAN LEONEL GIRALDO: *¿Está pensando en que Navarro tendría una posibilidad?*

ENRIQUE SANTOS CALDERÓN: Sí, dentro de un fracaso del esquema Uribe en lo social y en lo militar, un candidato de ese corte podría tener chance. Aunque mucho más lo tendría un Horacio Serpa, un hombre para tomar en cuenta. Pero alguien patrocinado por las FARC, a la manera de una Íngrid, me parecería inconcebible. La credibilidad de las FARC está por los suelos, aunque no se puede subestimar la capacidad de maniobra y presión de un movimiento guerrillero que, indirectamente, ha contribuido a la elección de dos presidentes.

ANTONIO CABALLERO: Yo quiero decir que de todas maneras, me parece a mí, que se exagera la popularidad de Uribe. Que se mide, sí, por las encuestas; pero no se nos olvide que Uribe acaba de perder el referendo, referendo al cual le metió a fondo todo su prestigio, toda su popularidad y todas sus amenazas apocalípticas sobre lo que podría suceder en Colombia si no se aprobaba. Así que yo no sé si la popularidad de Uribe, medida en las encuestas, corresponde a una capacidad verdadera de ganar elecciones.

ENRIQUE SANTOS CALDERÓN: Yo su popularidad no la cuestiono, pero se ha demostrado que una cosa es ganar encuestas y otra es ganar elecciones. ¿Recuerdan el fenómeno de Luis Carlos Galán, que punteaba siempre en las encuestas y le iba mal en las elecciones? Es posible que la imagen de Uribe esté metida en la psiquis de las personas, pero que no tenga que ver con sus motivaciones más inmediatas y pragmáticas a la hora de ir a votar. Pero en las elecciones presidenciales a veces sí funcionan los guiños. Y si Uribe logra mantener los índices de popularidad que tiene y su política de seguridad va rindiendo resultados, creo que las posibilidades de que logre garantizar un sucesor de su política son altas.

ANTONIO CABALLERO: Pero, ¿cuándo han funcionado los guiños? Los guiños funcionan para que el Congreso elija a un contralor. Pero para elegir a un sucesor de un presidente, ¿cuándo han funcionado?

ENRIQUE SANTOS CALDERÓN: El guiño indirecto de Noemí a Pastrana en la segunda vuelta contra Serpa o el del hijo de Galán a Gaviria.

ANTONIO CABALLERO: Alberto Lleras no quería que lo sucediera Guillermo León Valencia. Ni Carlos Lleras que viniera Misael Pastrana. Ni Pastrana que ganara López. Ni López que subiera Turbay. A quien menos querría haber elegido Gaviria era a Ernesto Samper. Y fue, sin embargo, el candidato victorioso en contra de todos los guiños que hubiera podido hacer Gaviria.

JUAN LEONEL GIRALDO: *Serpa dice que quiere volver.*

ENRIQUE SANTOS CALDERÓN: Tiene lógica. El hecho de que haya sido derrotado una y otra vez no quiere decir nada. A Belisario, ¿cuántas veces lo derrotaron?

ANTONIO CABALLERO: A Pastranita lo derrotaron una vez, volvió y... Yo creo que las elecciones en Colombia son una cosa completamente imprevisible con dos años y medio de antelación y, sin embargo, nos la pasamos haciendo ese juego estéril de adivinanza.

ENRIQUE SANTOS CALDERÓN: Me acuerdo de la época en que el general Harold Bedoya encabezaba las encuestas y Navarro también, y todo eso se desplomó con rapidez impresionante.

ANTONIO CABALLERO: Pero antes, en el año 1991, cuando la Constituyente, el presidente iba a ser Antonio Navarro, sin ninguna duda. Hasta él mismo ayudó a diseñar una Constitución para él, convencido, él primero que nadie, de que iba a ser elegido presidente.

ENRIQUE SANTOS CALDERÓN: Futurología de candidatos, un oficio inoficioso.

JUAN LEONEL GIRALDO: *Pero entre los que hay hoy, ¿cuál le gustaría a cada uno?*

ENRIQUE SANTOS CALDERÓN: A mí me gustaría un presidente que asumiera y entendiera como Uribe el problema de orden público. Si no se resuelve ese, olvídese de resolver los demás. Que lo asuma como lo ha asumido Uribe; que ejerza igual como comandante de las Fuerzas Armadas, cosa que no ha hecho ningún otro presidente; que demuestre parecida capacidad de trabajo, de entrega a su tarea de dirigir el Estado. Pero que tenga, eso sí, más visión de mundo, y sea menos obstinado, menos obsesivo en pequeños detalles; que tenga más sensibilidad social y más concepto de lo público; que tenga, como un Peñalosa, una concepción más moderna de lo que deben ser el desarrollo social y el manejo de las grandes ciudades; y, por supuesto, que rompa de verdad con la vieja política de componendas y clientelas. El país siempre busca personas que se presenten como algo distinto, aunque muchas veces no lo sean.

Yo creo que Uribe ha sido positivo hasta el presente, y espero de todo corazón que le vaya bien, y que aprenda a rectificar. Un fracaso de Uribe no se lo deseo a Colombia. Sería muy grave para este país. Ahí sí la frustración y la sinsalida se volverían dramáticas.

ANTONIO CABALLERO: A mí es que, sinceramente, Uribe no me gusta. Me parecen defectos la mayor parte de las cosas que muchos le ven como virtudes. Es decir, por ejemplo, lo considero «cositero», por esa demagogia absurda de los consejos comunales. Eso ni resuelve nada ni sirve para nada, salvo para darle un prestigio populista al presidente. Considero que se mete demasiado en cosas que probablemente no conoce —porque nadie puede conocer todas las cosas—, no sólo en los temas de orden público: me parece muy bien que alguien tome la responsabilidad de mandar en la guerra, que aquí efectivamente no ha tomado nadie nunca, no sólo ningún presidente, sino tampoco ningún comandante de las Fuerzas Armadas; no el comandante como presidente, sino los comandantes más operativos, digámoslo así, ni los ministros de Defensa.

Por eso aquí nunca nadie ha respondido por los fracasos de las infinitas maneras de ganar la guerra que se han intentado en los últimos cincuenta años. En ese sentido, me parece bien de Uribe que se ocupe directamente de una cosa como el orden público. Pero, por otra parte, me parece que Uribe tiene una cosa que para mí es muy peligrosa, que es el temperamento mesiánico. También lo tenían, cuando eran alcaldes de Bogotá, Peñalosa y Mockus. Estamos en Colombia esperanzados en distintos mesías, y normalmente los mesías acaban resultando en frustraciones. Y eso viene así desde hace muchísimo tiempo. En la época reciente, después del Frente Nacional, desde Alfonso López Michelsen, que era el hombre que iba a cambiar las cosas, porque venía de una oposición al Frente Nacional, aunque después la entregó a cambio de una gobernación y un ministerio. Pero, en fin, era el hombre que encabezaba el Movimiento Revolucionario Liberal, una cosa distinta, una cosa que buscaba otra cosa. Y acabó siendo exactamente igual a todo lo anterior, más de lo mismo, que es lo que nos ha sucedido con prácticamente todos.

ENRIQUE SANTOS CALDERÓN: Yo le pregunto: ¿quién le gustaría?, ¿quién?

ANTONIO CABALLERO: Digo que no me gustaría alguien del corte de Uribe, es decir, de corte mesiánico. Uribe de una manera, Peñalosa de otra manera, Mockus de otra manera, los tres son tan mesiánicos como Regina 11. Ninguno de los tres me gusta en ese sentido, porque halagan lo peor de los colombianos, que es pasarle el problema a otra persona para que lo resuelva. Un mesías. Yo creo que los problemas en Colombia se resuelven con la participación de la mayor cantidad posible de colombianos, que es lo que no ha ocurrido a lo largo de nuestra historia. Entonces no me gusta ninguno de esos tres, ninguna de esas tres posibilidades. Hablo de la posibilidad de Íngrid Betancourt como un juego de las FARC, que podría perfectamente suceder y sería también catastrófica.

A mí me gustan más los personajes más grises, personajes que no se presentan ni como salvadores ni como diferentes, porque no lo son. Digamos un hombre como Horacio Serpa: me parece un tipo mucho más serio. Sería un presidente seguramente mucho mejor que cualquiera de los mesías que hemos mencionado. El propio Ernesto Samper, pese a su total falta de escrúpulos, creo yo que hubiera sido un presidente mucho mejor que cualquiera de todos los demás si no hubiera sido porque estuvo durante sus cuatro años de gobierno pagando sus delitos de candidato, pagando... cometiendo más delitos, como es natural. Es decir, comprando el Congreso, corrompiendo a todo el que pudo. Si Ernesto Samper hubiera podido hacer una Presidencia normal, es decir, ni acosado ni en la cuerda floja durante cuatro años, yo creo que hubiera hecho una Presidencia sensata. Pero yo recuerdo que Ernesto Samper, cada vez que tenía algún problema, tenía que acudir a alguna cosa delirante: ahora Congreso bicameral, ahora pena de muerte. Tenía que poner a la gente a discutir sobre cosas que no tenían nada que ver con la realidad.

ENRIQUE SANTOS CALDERÓN: No mencionó a López, a quien nos opusimos tan visceralmente desde *Alternativa*. Visto históricamente, no fue un mal presidente. Habría podido ser mucho mejor, claro, pero tiene unas virtudes de estadista que le faltan a Uribe. Su formación filosófica y jurídica, su visión de las relaciones internacionales, su conocimiento del país en conjunto, su ironía y sentido del humor. Es que López sí conoce al dedillo a este país; se lo recorrió de arriba abajo varias veces como candidato del MRL, y luego del Partido Liberal. A diferencia, digamos, de Uribe, que está muy marcado por una experiencia local antioqueña. Los atributos intelectuales, el *savoir faire* político, el *weltanschaven* de López sería deseable —aunque improbable— que los tuvieran los próximos aspirantes a la Presidencia de la República de Colombia.

Antonio Caballero: Lo de que López haya sido mejor presidente, visto en perspectiva veinte años después, es cierto: porque sus sucesores han sido peores. Pero es que eso es cierto incluso de Turbay Ayala. Turbay, hombre, qué admirable el manejo que le dio a la toma de la embajada de la República Dominicana, comparado con el manejo que le dio Belisario Betancur a la toma del Palacio de Justicia. Hombre, realmente qué liberal era Turbay Ayala comparado con Álvaro Uribe; porque efectivamente Turbay era un hombre formado en la República Liberal, discípulo del viejo Alfonso López Pumarejo, y aunque fuera el padre del Estatuto de Seguridad que conocimos —que no era ni mucho menos tan duro como este Estatuto Antiterrorista que prepara Uribe—, aunque fuera el padre de ese estatuto completamente antiliberal y antidemocrático, de todas maneras tenía otra formación. Este Uribe es mucho más un fascista declarado.

Enrique Santos Calderón: Uribe es un producto de las circunstancias, de lo que es el país hoy en día y de la agudización de la violencia y la inseguridad. Bajo Turbay no había el fenómeno del narcoterrorismo, ni la guerrilla tenía el poder económico y militar que hoy tienen las FARC. Antes de descalificarlo como «fascista», debemos entender de dónde viene Uribe y por qué fue elegido.

ANTONIO CABALLERO: Sí, por eso ya veremos. Sí, Uribe. Volvemos a lo mismo de lo estéril de hacer vaticinios electorales. Seis meses antes de las elecciones, nadie hubiera pensado que Uribe podía ganar.

ENRIQUE SANTOS CALDERÓN: Sí, es cierto.

Avance de la derecha

JUAN LEONEL GIRALDO: *En el país se han agudizado la descaracterización, el desteñimiento de los partidos, de las instituciones, de las personas...*

ANTONIO CABALLERO: En la revista *Caras,* Fernando Cepeda padre dice del nuevo partido uribista —esto era cuando se hablaba del nuevo partido uribista, ya no se habla—: «Yo creo que el partido puede tener éxito si se presenta como de centro-izquierda; si se presenta como de derecha, me parece difícil que pueda ganar». ¿Cómo es posible que un profesor de politología recomiende como primera medida que un partido político se presente enmascarado? Una cosa que sabemos es que es de extrema derecha, porque si no, no estaría con Uribe. Eso en Colombia ha sido siempre así. Yo recuerdo que Carlos Lleras, en un momento dado, se atrevió a decir —Carlos Lleras, que fue siempre el representante de la derecha del Partido Liberal— que el Partido Liberal era «una coalición de matices de izquierda», sin contarse a sí mismo, claro. Aquí se juega mu-

cho a eso, todo el mundo juega a que es de centro. Aquí se es
«de centro» para engañar.

En estos días lo comentaba María Jimena Duzán, con respecto a una entrevista en la que Laura Restrepo se declara de
izquierda. Yo creo que haría falta que, de nuevo, la gente em-
pezara a calificarse como lo que es.

ENRIQUE SANTOS CALDERÓN: Es, por supuesto, un despropó-
sito «politológico» que un partido uribista se presente como
de centro-izquierda; obvio contrasentido. Pero yo no sé hasta
dónde esos calificativos de izquierda y derecha, que vienen de
ideologías del siglo XIX, aún tengan plena vigencia. Personalmente, reivindico la posición de centro. Yo he dicho desde hace
ya más de diez años, un poco para joder, que soy de «extremo
centro» y que de ahí no me muevo. Es una forma de proclamar
que ni la ideología de la izquierda ni la de derecha me parecen
hoy relevantes. Reconozco los matices, por supuesto, y que hay
un centro-izquierda y uno de derecha, pero lo real y popular
es que la gente busca confluencia en el centro.

El caso colombiano: el Polo Democrático crece porque
quiere estar ubicado en el centro-izquierda, no en la izquierda-
izquierda; ese espacio siempre lo coparán los otros «frentes».
Nadie se declara hoy en Colombia de extrema derecha, o izquierda, aunque lo que sí se nota es una «derechización» del
país, tal vez como reacción a los excesos de violencia protagoni-
zados por una guerrilla que sí se proclama marxista-leninista.
Lo significativo, tal vez, es cómo la gente se declara de derecha
sin complejo alguno. Antes no era así, quizás por la imagen que
dejó aquí el laureanismo, con su abierta identidad con el fascismo europeo. Por el contrario, en los años sesenta, setenta, los
universitarios, la intelectualidad, etc., se reivindicaban como de

izquierda. Hoy en día uno ve a muchas personas, a muchos jóvenes, diciendo francamente «yo soy de derecha», sin vergüenza, indicando una posición que de alguna manera ha ganado un espacio doctrinario en todo el mundo.

La pregunta es: ¿qué relevancia real tienen esas categorías cuando no responden a propuestas concretas, a programas de gobierno diferenciados? Se quedan simplemente en «yo soy progresista de izquierda», «yo soy liberal de derecha», que son palabrerías; no tienen un contenido programático detrás. Vemos eso aquí: la crisis de los partidos. La falta de partidos con identidad doctrinaria sólida se ha traducido en todos esos minipartidos de garaje, que son, más que todo, unipersonales, microempresas electorales que se ponen cualquier nombre: liberalismo social o social liberalismo, conservatismo renovador, cristianismo popular…

ANTONIO CABALLERO: Y Yo Colombia, Arriba Colombia, Viva Colombia, Venga Colombia, Pase Colombia… Dentro de muy pocos meses empezaremos a pasar ya no a *Colombia* únicamente, sino a la palabra patria, que Uribe está usando abusivamente, en mi opinión; está apoderándose de la palabra y calificando de antipatriotas a quienes no sean uribistas. Porque, claro, al cabo de un año y medio de utilizar la palabra *patria* seis u ocho veces al día en sus distintos discursos y en sus distintas intervenciones, la palabra *patria* acaba por representar a Uribe. Porque no sólo dice «la patria», sino «mi patria», «esta patria», «nuestra patria», es decir, en todos los posibles dueños de la patria está metido Uribe. Y eso a mí me parece sumamente peligroso.

Insisto en lo de derecha e izquierda. Yo creo que la derecha y la izquierda sí siguen existiendo. Es más, yo creo que la derecha y la izquierda existen desde antes de que sus nombres existieran a partir de la convención de la Revolución Francesa; porque siempre han existido esos dos puntos de vista: el punto de vista colectivo, que es el punto de vista de la izquierda, y el punto de vista individual, que es el punto de vista de la derecha, globalmente hablando, por supuesto.

Creo que en este momento, si ya a nadie, como dice Enrique, si ya a nadie le da vergüenza ser de derecha, es porque efectivamente la derecha está imperando en el mundo. No sólo desde el imperio norteamericano para abajo, con la ultraderecha de Bush, sino en todos los restos de la deshilachada Unión Soviética. ¿Quién manda en Rusia? La derecha de Putin. ¿Quién manda en Georgia? La derecha de Eduard Shevardnadze. Pero a la vez todos se califican como de centro-izquierda o de centro-derecha; en todo caso, de centro. Digamos, un partido tan de derecha como es el Partido Popular (que, además, se llama «Popular», imagínense), de España, el partido de José María Aznar, que es de ultraderecha, si no está a la derecha del franquismo es porque es exactamente el franquismo sin el ejército y se califica a sí mismo como de centro-derecha, y Aznar se ha jactado de ser el hombre que llevó a la derecha española al centro. Eso no es cierto: llevó a la derecha española a hacer ruidos de centro para conquistar electores que no fueran de su propia onda, de su propia extrema derecha.

Y por su lado, el Partido Socialista Obrero Español sí se está volviendo de centro-derecha, como se han vuelto de centro-derecha todos los partidos de la socialdemocracia europea. Basta con ver a los alemanes de Schroeder, o a Tony Blair en Inglaterra, basta con ver a los portugueses —y es que eso ya da pena—: los portugueses ya se confunden realmente con la derecha salazarista de Portugal.

La izquierda está desapareciendo por avergonzada, por avergonzada en el sentido de que efectivamente fue un fracaso lo que se llamó «izquierda» desde la Revolución Soviética de 1917, y que no lo era. Cuando el partido se dividió entre mencheviques y bolcheviques, los bolcheviques de Lenin eran los más radicales, sí; pero los más de derecha, porque eran los más exigentes de una dictadura absoluta del partido. En cambio, los otros que eran de izquierda, en el sentido de que pensaban en la colectividad y no en cada individualidad, son considerados desde entonces la derecha. También desde entonces yo creo que hubo una confusión entre las palabras *izquierda* y *derecha* que hoy se sigue viendo. Por ejemplo, en la antigua Unión Soviética, en la Rusia actual, se dice que la derecha son los que se siguen llamando comunistas y que Putin es la izquierda, y eso es una cosa perfectamente absurda, pero así lo utilizan las agencias de noticias internacionales, la prensa internacional, los analistas políticos internacionales.

Vergüenzas de la izquierda

ENRIQUE SANTOS CALDERÓN: La antigua vergüenza de reivindicarse como de derecha obedece a la posguerra de 1945, cuando la derecha quedó identificada con el horror del nazismo alemán, del fascismo italiano y del franquismo español. Daba vergüenza reivindicar eso, pero todo eso ha cambiado por los excesos y errores de la «izquierda antifascista» que vino después, la dictadura del proletariado a la manera soviética. Sin embargo, todos, en su momento, fueron fenómenos profundamente populares en sus países de origen: el estalinismo, el hitlerismo, el mussolinismo.

Luego de la derrota del nazi-fascismo en 1945, a la izquierda marxista —su antítesis— le pasó algo parecido. Cuando el mundo se enteró de lo que fue el fenómeno estalinista, comenzó la primera desbandada. La gente de verdad de izquierda empezó a distanciarse de esa versión que estaba saliendo de la Unión Soviética. Era la confirmación categórica de que el marxismo-leninismo tenía una naturaleza opresiva y totalitaria. Budapest en 1956, Praga en 1968. Fue la «crisis de la fe» en el marxismo, que tocó fondo con el desmoronamiento del llamado Bloque Socialista a fines de los años ochenta.

Antonio escribió un artículo en «Lecturas Dominicales» de *El Tiempo* en los años setenta, donde decía «Lenin, raíz de todo mal». Y hay que preguntarse qué pasó con el marxismo. Marx fue un gran pensador e intérprete de las contradicciones de la sociedad de su tiempo; pensando en la Revolución Industrial inglesa, observando y diagnosticando la incipiente consolidación del capitalismo industrial. Pero su teoría se implantó por primera vez en la sociedad más atrasada de Europa: la Rusia feudal, agraria, sin ninguna tradición de democracia política. La perversión leninista del marxismo, el sacrificio de libertades políticas, el aniquilamiento del pluralismo (el culto a la personalidad) fueron, en buena parte, producto de la circunstancia histórica de que fuera en un país como Rusia donde se aplicara por primera vez la concepción marxista del Estado.

La China, que siempre quiso diferenciarse del comunismo soviético, incurrió también en una cantidad de aberraciones totalitarias y en el culto a la figura de Mao, todas esas colectivizaciones que llegaron hasta el extremo delirante de la Revolución Cultural de los años sesenta. Esos excesos —los de Alemania o los de la URSS— comenzaron a generar un rechazo colectivo a las ideologías de izquierda y de derecha, asociadas a esas experiencias históricas.

ANTONIO CABALLERO: La primera crítica desde la izquierda que se les hizo al leninismo y al estalinismo fue la crítica trotskista. Pero la crítica trotskista vino fundamentalmente de que Trotski perdió el poder en la Unión Soviética frente a Stalin. Yo no creo que Trotski hubiera sido muy distinto de Stalin. Pero siendo la oposición, es decir, lo que en realidad debe ser la izquierda siempre, la resistencia al poder y no el poder, efectivamente Trotski tuvo que desarrollar un pensamiento muy crítico de izquierda frente al poder leninista y estalinista. Pero también la crítica del trotskismo... Me parece muy significativa una frase de un amigo trotskista argentino, que me dijo: «Yo nunca he sido trotskista ni lo volveré a ser», porque creo que indica muy bien lo que es eso. La posición trotskista es siempre una posición tremendamente oportunista. El Trotski desarmado (para usar las palabras de Deutscher: «El profeta armado», «El profeta desarmado»), era enemigo de la lucha armada; pero el Trotski armado, hay que ver: fue el organizador del Ejército Rojo.

Cada cual habla de la feria según como le vaya, y eso también es cierto del marxismo-leninismo. Por otra parte, siguiendo con el trotskismo, he leído (y no sé hasta qué punto eso sea cierto) que todos estos asesores de la ultraderecha republicana de Bush eran trotskistas en su época universitaria: Wolfowitz, Perle, todos los de segunda fila... No recuerdo el nombre de su profesor en la Universidad de Harvard... No sé, un trotskista norteamericano de pro.

ENRIQUE SANTOS CALDERÓN: El culto a Trotski era siempre una forma de cuestionar al estalinismo y de criticar a la sociedad soviética. Ex trotskistas también han asesorado a muchos de nuestros gobiernos.

ANTONIO CABALLERO: Por eso, de ex trotskistas está empedrado el infierno.

Un país de derecha

JUAN LEONEL GIRALDO: *¿No les da la impresión de que Colombia históricamente siempre ha sido de centro y que la disyuntiva de colocarse al centro, o a la derecha, ha sido más del Partido Liberal que del Partido Conservador?*

ENRIQUE SANTOS CALDERÓN: Históricamente, el Partido Liberal ha sido una fuerza de centro, y de contrapeso a todas las desviaciones hacia formas totalitarias, autoritarias, dictatoriales, que emanaban del Partido Conservador. Y siempre el Partido Liberal ha tenido tentativas de izquierda...

ANTONIO CABALLERO: Salvo esta última. Uribe se llama «liberal».

ENRIQUE SANTOS CALDERÓN: Estoy pensando más en un Rafael Uribe Uribe, en el fenómeno de Gaitán, López Pumarejo en su primer gobierno. El Partido Liberal, en los años veinte, en los años treinta, era una alternativa de «izquierda» frente a lo que había sido la Hegemonía Conservadora. Pero, fundamentalmente, el liberalismo ha sido de centro; ya sea centro-derecha, o centro-izquierda. Pero más allá de lo liberal-conservador, lo que yo veo es una franca derechización del país. Uno ve; se palpa en las actitudes, en las encuestas, que la gente reclama más orden, autoridad. Hay una derechización clara en el país, y la elección de Uribe es reflejo de eso.

Antonio Caballero: Sí. Yo creo que hay una derechización, pero de todas maneras éste es un país muy de derecha. En ese sentido, estoy de acuerdo con lo que decía Álvaro Gómez, que Colombia «es un país conservador que vota liberal». Creo que tenía toda la razón. Por su parte, el Partido Liberal ha mantenido a veces las tentaciones izquierdistas, no sólo desde los tiempos de Uribe Uribe, sino desde mucho antes, desde Murillo Toro, desde el Olimpo Liberal, que fue lo más izquierdista, quizás, que había en ese momento en el planeta. Era un izquierdismo totalmente utópico y arcangélico, y a la vez educadísimo. No tomaba en cuenta ni la existencia de los pobres, ni de los proletarios —que aún no existían en Colombia—, ni de los campesinos, sino simplemente la existencia de las ideas.

Estoy de acuerdo con que el Partido Liberal ha sido mucho más eso, probablemente hasta el Frente Nacional. El hito del Frente Nacional marca la derechización del Partido Liberal: no es el Partido Conservador el que se liberaliza, sino el Partido Liberal el que se conservatiza.

Pero también ha habido una derechización por parte de lo que se ha llamado la izquierda colombiana, en la medida en que los sectores partidarios de la lucha armada, es decir, partidarios de la imposición por la fuerza de la izquierda, se apoderaron prácticamente de toda la izquierda. Esto, en parte, por el exterminio de la parte no armada de la izquierda, y, en parte, por el convencimiento de que eso no conducía a ninguna parte. Se ha derechizado también la izquierda. A mí me parece que las FARC son una guerrilla que se ha convertido completamente en derecha en sus métodos, en sus objetivos, en sus convicciones. En todo, prácticamente. Eso me parece sumamente preocupante.

ENRIQUE SANTOS CALDERÓN: También inquieta que haya prácticamente desaparecido el Partido Comunista de Colombia, un partido con una historia de muchas décadas y con una larga trayectoria de lucha popular, sindical, parlamentaria… El auge de las FARC como movimiento armado lo redujo a su mínima expresión. Si las FARC eran inicialmente un brazo armado del Partido Comunista que éste había impulsado bajo la forma de autodefensas campesinas, éste acabó totalmente desbordado por las FARC. La «combinación de las formas de lucha» terminó en que la armada desplazó a la electoral, la sindical, la política… Triste parábola la del Partido Comunista, que acabó perdiendo hasta su personería jurídica como organización política por falta de votos. Se lo tragó su brazo armado. Víctima, a la larga, de su propio invento.

ANTONIO CABALLERO: Aprovechando que estamos hablando, Enrique, ¿por qué no nos explica claramente qué significa eso de extremo centro?

ENRIQUE SANTOS CALDERÓN: El *extremo centro* es, por supuesto, un término irónico que, sin embargo, responde a una razonable y acumulada desconfianza hacia lo que han sido las posiciones clásicas de izquierda y derecha. El camino al infierno sí que está pavimentado de ese tipo de polarizaciones. Es una posición de escepticismo intelectual, de distanciamiento frente a lo que hemos conocido y padecido como polos ideológicos. Es la búsqueda de un centro que pueda incorporar los planteamientos válidos que provengan de la izquierda o la derecha, sin tener que entrar en calificativos macartizantes, provengan de uno u otro extremo. Lo veo como una posición de síntesis dialéctica, que quiere expresar independencia conceptual y a la vez rechazo a las propuestas utópicas, teóricas, irrealizables, que han provenido de la izquierda clásica y de la derecha clásica.

Estoy convencido de que en un país como el nuestro, que ha tenido tanta polarización y violencia, un centro democrático sólido es recomendable. Con matices, obviamente; con posiciones que vayan más hacia la izquierda o derecha de este centro. Un amplio y fuerte centro democrático sería eje político fundamental para ir desterrando tanta violencia y sectarismo.

JUAN LEONEL GIRALDO: *Antonio, ¿es que va a pedir militancia ahí?*

ANTONIO CABALLERO: No, yo no pido militancia en el extremo centro, precisamente porque creo que no se debe militar en el extremo centro. Creo que efectivamente el centro es el sitio donde la gente no se mata demasiado; pero creo que a eso se llega por el hecho de que hay una izquierda y una derecha; es decir, el reconocimiento de la realidad ajena, el reconocimiento de las ideas y de los intereses ajenos, sobre todo de los intereses, lleva al centro. Es el punto de reposo del péndulo, pero no creo que predicando el centro se llegue al centro. Predicando el centro —y lo digo por las experiencias históricas que conozco en las lecturas y por mi propia vida, que ya empieza a ser casi tan larga como la del doctor Turbay—, se llega a la derecha. En cambio, la existencia de una derecha y de una izquierda enfrentadas, adversarias, discordantes y competitivas la una con la otra, conduce efectivamente al centro. Miren: lo natural es la derecha: el uso de la violencia para mantener privilegios o para obtenerlos. Hay que oponerse activamente a la derecha, no desde el anodino «centro», sino desde la izquierda, para que el columpio se pare en la mitad, donde la justicia es mayor, o al menos donde la injusticia es menor.

España en el centro

ENRIQUE SANTOS CALDERÓN: Miremos a España, que vino de una dictadura derechista tan dura y larga como fue la franquista. Hoy, ¿qué es España? Un país que ha dado un brinco impresionante en su desarrollo económico y social, tras la peor guerra civil del siglo xx y cuarenta años de Franco. Y, por eso mismo, hoy el pueblo español prefiere el centro. El PSOE de Felipe González, que venía de la izquierda marxista, y el Partido Popular de Aznar, que venía de la derecha franquista, se disputan el centro. El PSOE tuvo que renegar del marxismo para virar hacia el centro-izquierda, que lo llevó y mantuvo en el poder más de diez años.

La admirable estabilidad de España nace de la profunda madurez política de un pueblo que vivió los horrores de una guerra civil ideológica y las castraciones políticas de una paz derechista. España es el país que más ha progresado económica, política y culturalmente en Europa en los últimos veinte años, por su confluencia hacia el centro pragmático de la *real-*

politik, que se disputan los partidos políticos que hoy convocan a las grandes mayorías.

Obviamente habrá los que están a la izquierda del PSOE y a la derecha del Partido Popular: los franquistas nostálgicos, los marxistas armados, pero España es un ejemplo del rechazo a los extremos y de por qué apuntar al centro garantiza estabilidad política, democracia real, progreso económico.

ANTONIO CABALLERO: El progreso económico, en el caso de España, yo no pienso que venga... Sí, viene de la estabilidad política y viene del fin de la dictadura franquista, pero muy de rebote, pues sólo porque se acabó la dictadura franquista España fue recibida en la Unión Europea. El brinco económico fundamental lo dio España gracias a las inmensas, colosales, inversiones de los fondos de cohesión europea en infraestructura en España.

Probablemente España ha recibido en los últimos veinte años de la Unión Europea, de sus fondos de cohesión, más dinero del que recibió Europa entera (España no en ese momento) del Plan Marshall entre los años 1945 y 1950 o 1955.

Entonces España e Irlanda, que son dos ejemplos de milagro económico, se lo deben al hecho de que entraron en la Unión Europea, y la Unión Europea las inundó de dinero y, efectivamente, fue bien utilizado (al margen de la corrupción, que existe en todas partes, pero que no es tan desaforada allá como aquí) tanto por los gobiernos socialistas, hasta el año 1992, como por el gobierno del PP de Aznar, desde entonces hasta ahora, 1992 o 1994, no me acuerdo bien cuándo fue que cambió el gobierno.

España fue recibida en Europa en tiempos de los socialistas de Felipe González, porque a Europa le pareció que ya España no era un país fascista que tenía que ser considerado apestado. Y, al dejar de serlo, lo inundaron de dinero. Un dinero bien utilizado, como había sido el caso en la Europa del Plan Marshall cuarenta años antes, y eso se nota. Pero no creo que del equilibrio político y de la pacificación política venga la prosperidad española; creo que viene mucho más de que inspiró confianza en los grandes inversores, y grandes inversores públicos.

ENRIQUE SANTOS CALDERÓN: Yo no creo que se pueda minimizar ni subestimar así lo que ha sido el increíble proceso de maduración política y apertura democrática de la sociedad española.

ANTONIO CABALLERO: No... por supuesto que no. Me refiero simplemente al fenómeno económico.

ENRIQUE SANTOS CALDERÓN: Pero es que el fenómeno económico está directamente ligado a la madurez política. La que demostró un partido como el PSOE, por ejemplo, cuando Felipe González se dio cuenta de la necesidad de desprenderse de un lastre ideológico radical que estaba en el origen del PSOE, pero que no estaba interpretando al pueblo español, que buscaba el centro. Si Felipe González se queda inmóvil en sus posiciones originarias, sería un purista como Antonio, pero no hubiera liderado a España hacia una democracia moderna.

En fin, vuelvo a lo mismo, al irónico «extremo centro», que es el espacio crucial donde la derecha y la izquierda dirimen sus diferencias. Ya no es, por fortuna, desde la extrema izquierda o derecha. Ni la revolución violenta leninista, ni las dictaduras militares anticomunistas. Eso es lo que necesita

Colombia: mirar hacia España, que tanto —bueno y malo— nos ha legado, y aprender a desarrollar un centro democrático. Hacerles el juego a veleidades maniqueas; despreciar la noción de centro, en medio de nuestros extremos armados, me parece equivocado y bastante irresponsable.

ANTONIO CABALLERO: Yo también pienso que en un país prácticamente analfabeto, como sigue siendo Colombia... (a diferencia de España, que es un país bastante educado, es decir, donde las minorías educadas son bastante numerosas en tanto que la minoría educada en Colombia es infinitamente minoritaria)... Aquí nadie sabe... Es decir, si usted les pregunta a los parlamentarios españoles, para hablar de cosas comparables, qué es izquierda y qué es derecha, todos se lo saben decir. Estoy seguro de que si se lo pregunta a los parlamentarios colombianos no saben qué es ni una cosa ni la otra, y le responden de acuerdo con lo que crean que les convenga en ese momento. Pero estoy absolutamente seguro de que el 90% de los parlamentarios de este país, para hablar solamente de políticos profesionales que están en ese juego, no saben ni qué es la izquierda ni qué es la derecha. Para ellos son palabras que pueden ser utilizables en un momento dado, de un lado, y en un momento dado, del otro.

Es más, pienso que probablemente la derecha es la que menos sabe eso. La izquierda sí. La izquierda, en general, en Colombia ha sido mucho más educada que la derecha, ha sido una izquierda universitaria. No estoy hablando de la izquierda sindical, aunque también la izquierda sindical ha sido mucho más educada que, digamos, la derecha agraria, que domina el parlamento colombiano.

Creo que esos parlamentarios ganaderos y agricultores de casi todos los departamentos del país no tienen la menor idea de qué están hablando cuando hablan de izquierda o cuando hablan de derecha, salvo en el sentido de que les puede convenir o no en ese momento. Hablan por el ruido, no por el sentido.

6
El vecindario

Chávez

JUAN LEONEL GIRALDO: *Ahora hablemos de los vecinos. ¿Cómo ven a Chávez?*

ENRIQUE SANTOS CALDERÓN: Chávez es un fenómeno bien interesante, y complicado. Un comandante paracaidista, que intenta dar un golpe de Estado contra la corrupción política, que paga cárcel por ello, que regresa como héroe popular y arrasa en las elecciones, que desafía de frente a los Estados Unidos y que se declara aliado de Fidel Castro, es algo novedoso. Tiene un particular perfil de «dictador democrático» en plan de nacionalismo revolucionario, antioligárquico, antimperialista, con toque «bolivariano». Yo creo que Chávez, que no me gusta para nada por lo autoritario y soberbio, también puede ir para largo. Entre otras cosas por la torpeza y falta de cohesión y liderazgo de la oposición venezolana, que tampoco puede hacerse la ilusión de que los Estados Unidos vayan a intervenir para sacarles las castañas del fuego.

Para Colombia, Chávez es un fenómeno especialmente complicado, porque a él le interesa jugar a la desestabilización de un sistema político colombiano que abomina, y puede, además, acudir a la patriotera carta «anticolombiana» cuando la situación interna se le deteriore más. No hay que olvidar todas las tensiones históricas que hemos tenido con Venezuela por el golfo, o por los indocumentados, etc. Un presidente hostil de un país vecino, con mesianismos revolucionarios continentales, con evidentes simpatías por la «insurgencia» colombiana, y con una inmensa chequera petrolera representa un preocupante enigma para éste y el próximo gobierno de Colombia.

Antonio Caballero: Yo no estoy de acuerdo en que los Estados Unidos no tengan nada que hacer con respecto a Chávez, aunque efectivamente los incomode el hecho de que Chávez se someta una y otra vez a elecciones, lo que les quita a ellos el pretexto de declararlo un dictador. Pero su derrocamiento, sin duda, lo desean; porque Chávez es efectivamente (sea lo que sea, por otro lado, de izquierda o de derecha, populista o popular) antinorteamericano. Y es un personaje muy incómodo siendo antinorteamericano, porque Venezuela es un país petrolero muy importante, y además uno de los principales proveedores de los Estados Unidos. Además está ayudando a Cuba con el petróleo barato, etc. Pero eso es casi sólo simbólico.

El problema de Cuba, los Estados Unidos no lo pueden resolver, no porque Cuba tenga o no tenga petróleo, sino porque, mientras viva Fidel Castro, cualquier tipo de intervención en Cuba sería demasiado costosa en todos los sentidos: sangre, desprestigio. Cuando muera Fidel eso cambiará, sin duda. Pero en lo que se refiere a Chávez, yo no creo que la única posibilidad de los Estados Unidos sea o bien una intervención militar, como en Iraq, o bien una intervención simplemente económica, ahogando a Chávez y ayudando a la oposición. Desembarazarse de Chávez en un país tan corrupto y con un ejército tan tradicionalmente corrupto como ha sido el venezolano no me parece que sea tan difícil.

ENRIQUE SANTOS CALDERÓN: Existe la opción de que los Estados Unidos provoquen un golpe de Estado «democrático».

ANTONIO CABALLERO: Esa es una carta, porque al fin y al cabo Chávez reposa en los militares. En ese movimiento que hace algún tiempo se llamó los «comacates»: comandantes, capitanes y tenientes. Y en los pobres, que no cuentan: como decía Allende en Chile cuando su ultraizquierda le pedía que «movilizara a las masas» contra el inminente golpe militar: «¿Cuántas masas se necesitan para parar un tanque?». En lo que afecta a Colombia, todo depende de muchas cosas: de la propia capacidad de resistencia de Chávez frente a las tentativas de sustitución o de derrocamiento por la fuerza; de si le conviene o no, en un momento dado, recurrir al patrioterismo venezolano frente a Colombia, a lo cual le está ayudando en este momento el gobierno de Uribe con cosas como la compra de los tanques: los tanques evidentemente son para enfrentar a Venezuela y no a la guerrilla, porque eso no se lo traga ni el más... O si, al revés, le conviene lo contrario: esta cosa que acaba de hacer, por ejemplo, de legalizar a los colombianos allá, le garantiza medio millón de votos. Una jugada muy parecida a la que acaba de hacer Bush con los latinos, por lo demás.

Una jugada politiquera, como la que hace cualquiera, el que tenga la inteligencia politiquera necesaria; pero no creo que Chávez, con la cantidad de problemas que tiene en Venezuela, por su lado, quiera meterse tampoco en un lío fronterizo.

ENRIQUE SANTOS CALDERÓN: En este momento no, pero más adelante... quién sabe.

ANTONIO CABALLERO: O sea, no considero que Chávez sea en este momento un elemento de importancia inminente dentro de la política interna colombiana.

ENRIQUE SANTOS CALDERÓN: Hoy se han distensionado de cierta manera las fricciones entre Uribe y Chávez, que tenían un problema de enfrentamiento casi personal. Han bajado también las denuncias sobre su ayuda a las FARC. Chávez está más concentrado en salir del tremendo lío que tiene con lo del referendo y la revocatoria. Y me temo que pueda salir consolidado y, ahí sí, ojo con que quiera meter la mano por estos lados.

Lula

JUAN LEONEL GIRALDO: *¿Y cómo ven a Lula?*

ANTONIO CABALLERO: Lula me parece a mí bastante eso que se llama «buchipluma»: parece mucho más de lo que es. Lula fue elegido en el Brasil como un hombre de izquierda, un obrero sindicalista que venía de la más extrema pobreza. Un obrero que llegó a la Presidencia del país más grande, más rico y más poderoso de América Latina, apoyado por un partido que se llama el Partido de los Trabajadores. Y resulta que al cabo de un par de meses ya estaban felices con Lula los banqueros: los banqueros norteamericanos, Wall Street, el Fondo Monetario Internacional, el Banco Mundial. Y, en cambio, empezaban a sentirse un poco incómodos y en desacuerdo los de su partido, el de los Trabajadores, y los trabajadores propiamente dichos, y también los Sin Tierra, que es un movimiento bastante poderoso en el Brasil.

Yo creo que a Lula le ha tocado, como le toca a cualquier dirigente en cualquier país de América Latina, someterse al verdadero poder: a lo que mandan los Estados Unidos, y los Estados Unidos a través del Fondo Monetario Internacional y del Banco Mundial. Si no, el enfrentamiento es directo; y yo creo que ninguno sobrevive. El único que ha sobrevivido hasta ahora durante un tiempo relativamente largo ha sido el venezolano Hugo Chávez, por otras razones, también de política externa de los Estados Unidos. A causa de la guerra de Iraq ha subido el precio del petróleo, lo cual le ha permitido a Chávez mantenerse a pesar de no haber hecho absolutamente nada. Pero Lula ha tenido que dar su brazo a torcer desde el primer momento.

ENRIQUE SANTOS CALDERÓN: Yo no me atrevo a decir qué tan «buchipluma» vaya a resultar Lula aún. Lo que sí sé es que tiene un reto gigantesco por delante, que es producto de unas expectativas profundas de cambio en el Brasil; una sociedad con niveles de pobreza y de desigualdad peores aun que las

colombianas y que tiene un campo de maniobra muy reducido. La línea de ruptura con el esquema internacional vigente,
con el Fondo Monetario, con el Banco Mundial o con los Estados Unidos no sería una opción realista ni recomendable. Lula
ha tenido que adaptarse a unos dictámenes de política económica, que obviamente han generado decepción y cierto malestar entre sus seguidores. Pero yo creo que es, por ahora, una
manifestación de realismo político, más que de «traición» o de
«buchiplumismo».

No hay que olvidar que Brasil, de todos modos, es una potencia económica; un país con visión global del mundo, con
una continuidad en su política exterior, y con sólidos conceptos de soberanía política y económica en cuanto a sus relaciones con los Estados Unidos. Con el liderazgo de Lula, Brasil
puede diferenciarse aún más de las propuestas de Estados
Unidos en comercio internacional. De hecho, está liderando
todo el bloque alterno de Mercosur, de un ALCA diferente; en
la OMC ha forjado un bloque con la India, con la China, para
cuestionar las políticas de Europa, de Estados Unidos, de Japón, en relación con los subsidios agrícolas, y, en general, con
los derechos del Tercer Mundo a un intercambio mucho más
justo.

No creo que deba subestimarse el papel que puede desem-
peñar Lula en la consolidación de alternativas para los países
del Tercer Mundo. Me parecería gravísimo que optara por un
camino de ruptura drástica, porque no lo veo factible. Chávez
ha logrado, como dice Antonio, por la riqueza petrolera de Venezuela, mantenerse hasta ahora. Además, porque está sus-
tentado en un mandato democrático. Pero su experiencia de
ruptura no es la más larga. La más larga es la de Fidel Castro...

Antonio Caballero: Por supuesto. Pero justamente a eso voy; por eso digo que no creo que Lula pueda, aun si lo deseara, romper verdaderamente con el orden mundial tal como hoy existe. El único que ha podido hacerlo efectivamente es Fidel Castro, a un costo absolutamente enorme para Cuba: el costo del aislamiento. Porque eso era mucho más fácil cuando existía la Unión Soviética, cuando había un mundo bipolar y los países podían pasar del ala de una gran potencia a refugiarse bajo el ala de la otra gran potencia. Eso ha desaparecido. Si él sigue, es por su terquedad, y eso le da su dimensión histórica, que ya es mucha. Pero no creo que Cuba pueda resistir, una vez muerto Fidel. No creo que pueda mantener este aislamiento orgulloso y de mendigo al mismo tiempo.

Por otra parte, yo también espero que Lula pueda conseguir algo, de todas maneras. Es cierto que ha hecho cosas, en particular en las reuniones de la Organización Mundial del Comercio: las alianzas con la India, con la China, etcétera: con grandes países en desarrollo. En un primer momento hasta Colombia estuvo ahí, sólo que nuestro gobierno arrodillado se dio cuenta inmediatamente de que eso iba en contra de los intereses de los Estados Unidos y dijo «No... no... no... porque entonces los gringos se van a poner furiosos con nosotros». Creo que no duró ni 48 horas Colombia en ese grupo de los 23, antes de Lula. Ciertas cosas también las hizo en su momento Cardoso, también porque era un hombre que venía de la izquierda. Recuerdo que los libros de Cardoso eran en una época lectura obligatoria de la izquierda en América Latina. Pero luego —ya dentro del pragmatismo del poder— las cosas cambian. Yo, claro, prefiero de todas maneras las tentativas de un hombre como Lula a la entrega de entrada de un hombre como Álvaro Uribe; pero ya sabemos cuáles son los condicionamientos particulares que tiene Colombia con su guerra interna.

JUAN LEONEL GIRALDO: *¿Cómo afectarían a la llamada izquierda colombiana las posiciones que están tomando Lula, Chávez y Fidel Castro?*

ENRIQUE SANTOS CALDERÓN: La elección tanto de Chávez como de Lula expresan, cada una a su manera, fenómenos sociales bien interesantes en cada país. En el caso de Venezuela, un rechazo profundo de la gente hacia la corrupción política que se instauró; al inmovilismo de los dos partidos tradicionales: el Copei y la Acción Democrática. Un desprestigio absoluto de una clase dirigente incapaz de manejar la riqueza petrolera en función del bien común. Hasta que estalló el famoso «Caracazo», que expresó un malestar social tremendo. Habían caído los precios del petróleo, Venezuela empezó a sentir por primera vez crisis económicas profundas y eso produjo la reacción popular y poco después a Chávez.

Lula también refleja el enorme malestar social del pueblo brasileño y sus anhelos de un cambio. En el fondo aparecen las falencias que ha demostrado toda la estrategia de globalización y del neoliberalismo económico, cuyo balance, en los últimos diez años en América Latina, deja mucho que desear. Es una realidad evidente. También está el fenómeno de Néstor Kirchner en Argentina. Es decir, hay un continente que se siente defraudado.

Chávez y Lula son expresión directa, política y electoral de este fenómeno, que hay que tener en cuenta para no seguir apegados a caminos que no han demostrado traer soluciones de fondo.

Son distintos en sus personalidades, en sus formas de concebir el poder. Incluso Lula mira lo de Chávez con cierta prevención; no le gusta que lo asocien para nada al coronel, pues aspira a convertirse en un líder continental con credibilidad, con capacidad de convocatoria. El mismo poderío económico de Brasil, y geográfico, le permite pensar en eso. Todo eso son lecciones, ejemplos, que también en Colombia comienzan a tener sus efectos. El resultado de las elecciones de octubre del año pasado con el triunfo de Lucho Garzón en la capital del país, el auge que tuvieron muchos movimientos de izquierda o populares en el resto del país, pues están expresando también ese fenómeno de desencanto, de inconformismo con unos esquemas que no han producido resultados.

La crisis del mundo

ANTONIO CABALLERO: Sí, los resultados del neoliberalismo, tal como se ha aplicado en la última década en América Latina, en todas partes, no veo ningún país —con la excepción de Cuba— donde no se lo haya hecho, han sido muy malos: se han agravado las diferencias económicas entre ricos y pobres, se ha profundizado la pobreza y, sobre todo, la pobreza absoluta. Es decir, cada vez más éste es un continente en el que al menos la mitad de la población está por fuera. Está por fuera y sin ninguna esperanza de poder llegar a estar nunca por dentro. Es gente que sobra desde un punto de vista económico y desde un punto de vista laboral; gente que no puede conseguir trabajo ni lo podrá conseguir jamás, entre otras cosas porque no está preparada para conseguirlo, porque no sabe hacer absolutamente nada, porque viene de la miseria y porque está condenada probablemente a morir en la miseria. Eso, apreciado desde un punto de vista económico completamente frío y completamente aséptico, se puede aguantar: que los pobres se mueran es una cosa que siempre ha sucedido.

Lo que pasa es que los pobres cada vez aceptan menos morirse tranquilamente, sin molestar a los ricos. Lo estamos viendo en fenómenos como el rebusque económico, la economía informal, el crecimiento desaforado de la delincuencia en todos estos países, desde México hasta Argentina. Cada vez es mayor la porción de la población que sólo puede vivir de la delincuencia. Bien sea de la gran delincuencia —que es el caso fundamentalmente de la droga, tanto aquí como en México, como en Brasil—, o de la pequeña delincuencia —el robo, el raponazo, el atraco—. Si no hay comida dentro de la legalidad, la gente no se deja morir de hambre. Eso ocurría en otras épocas, cuando la represión estaba infinitamente más incorporada, por el miedo, por la religión, etc., dentro de las clases proletarias, dentro de las clases campesinas. Ahora no. Ahora la gente no se deja morir de hambre, como se dejaba morir en la Inglaterra del siglo XIX, en las épocas de Dickens y de Marx.

Entonces eso nos conduce probablemente a un estallido sin sentido, a un estallido muy sangriento. «Sin sentido», digo, porque no lleva a ninguna revolución de la cual salga una nueva organización de la sociedad. Una revolución en el sentido tradicional de la palabra, en el sentido de la francesa o de la bolchevique, en el sentido marxista o leninista de la palabra, sino simplemente una gran explosión incontrolada de la venganza y la miseria, probablemente muy sangrienta, como digo, pero sin resultados prácticos.

ENRIQUE SANTOS CALDERÓN: Yo no quiero sonar muy catastrofista. Prefiero dejarle ese escenario a Antonio. Pero viendo el estado del mundo, es muy difícil ser optimista. Los índices de crecimiento de la pobreza en América Latina, en África, en algunas partes de Asia; el hecho de que centenares de millones de seres viven con menos de dos dólares al día; la forma como se está acentuando el abismo entre desarrollo y subdesarrollo, entre ricos y pobres; ese panorama es perfectamente aterrador y no puede conducir sino a explosiones sociales y políticas de características imprevisibles. Lo que sí es un hecho es que en un planeta cada día más interconectado, cada día más globalizado, en el que todo el mundo sabe lo que está pasando en todas partes, y donde a los sectores más pobres y marginales de la población —sea en África, Afganistán o Antofagasta— les venden cada día por la televisión los niveles y estilos de vida de los ricos; pues esos «condenados de la Tierra» que llamara Franz Fanon, no se van a resignar en el siglo XXI a su condición de pobres eternos.

Esto va a comenzar a tener expresiones de rebeldía, o de simple supervivencia, que van a tomar formas inimaginables de delincuencia o de violencia social, política, religiosa… Si los países ricos, si Estados Unidos, si Europa, si Japón no entienden esto, van a estar cavando su propia fosa. Porque no hay forma de que el planeta aguante las contradicciones sociales que se han agudizado en un mundo donde todos los avances tecnológicos, científicos, etc., no han servido para crear más equidad entre los hombres. Es muy difícil ser optimista sobre el futuro de la humanidad.

La derechización de Europa

JUAN LEONEL GIRALDO: *Están muy catastróficos...*

ANTONIO CABALLERO: Sí, estamos bastante catastróficos, catastrofistas, pero porque el mundo está así. Un tema que no hemos siquiera mencionado, pero que refleja exactamente esa división del mundo entre la inmensa riqueza y la creciente pobreza es el de la emigración de los países pobres hacia los ricos, que los países ricos tratan de evitar poniendo barreras: blindándose. Ya se habla de la «Fortaleza Europa», como se hablaba de la «Fortaleza América»; de los cientos de miles de personas venidas del África del Norte y del África subsahariana que llegan a Europa; de los cientos de miles de la Europa Oriental arruinada, especialmente los de los países más destruidos por los regímenes del comunismo —de Albania, de Rumania—, y de los que llegan y los que se ahogan en la travesía, en el estrecho de Gibraltar o en el Adriático. Y aquí, en América, de los millones que emigran legal o ilegalmente a los Estados Unidos, desde México y desde Cuba, desde Colombia y desde Haití. Y eso se mezcla con otro montón de cosas.

Es decir, no es sólo un pobre que va a buscar trabajo donde los ricos, sino que es un pobre que además es de otra raza y de otra religión; y es considerado, es recibido como una amenaza. Es lo que el profesor Huntington, ese gurú de los neoliberales neoconservadores, llama el choque de civilizaciones, refiriéndose a Occidente y al islam, o a los Estados Unidos anglosajones y la «invasión» latina: gente que habla otro idioma y come otras cosas.

España es un caso muy claro, porque es la puerta de Europa, tanto para África como para América Latina. En España, en diez años, la población permanente de origen extranjero ha pasado de cien mil personas a un millón, o sea, se ha multiplicado por diez. Eso no lo resiste ninguna sociedad. Es muy difícil absorber tal cantidad de gente distinta, no sólo extranjera en cuanto a la lengua, sino también en cuanto a la raza, en cuanto a la religión, en cuanto a las costumbres. Y, además, pobre, por supuesto. Francia o Gran Bretaña, con la gente de sus antiguas colonias, o Alemania con los turcos, hicieron eso en cuarenta o cincuenta años. Y todavía no lo han asimilado, digerido.

ENRIQUE SANTOS CALDERÓN: Y se están produciendo, en el interior de estas sociedades europeas —normalmente tolerantes y liberales—, actitudes cada día más xenófobas, conservadoras y racistas. Uno ve el viraje de Europa hacia la derecha (el triunfo del PSOE en España puede ser algo excepcional). Y en países tan tolerantes y liberales como Holanda, ya comienzan a verse tendencias muy claras de rechazo al extranjero, de encerramiento. Son tensiones posiblemente explosivas a mediano plazo. Los países prósperos han sido víctimas de su propio invento. Han exportado un modelo de vida, han explotado a sus antiguas colonias, han impuesto un sistema de intercambio comercial totalmente desigual y después se quejan de que los desempleados y hambrientos de la periferia quieran emigrar hacia donde hay plata y trabajo. Es un esquema de poder internacional insostenible y a la larga autodestructivo.

El mismo fundamentalismo islámico, con sus expresiones terroristas, es una forma de rechazo a modelos y valores del Occidente próspero y poderoso, que siempre ha actuado en función de sus intereses económicos. Y ahora son los desempleados y proletarios de Estados Unidos y Europa los que se rebelan contra el ingreso de esa mano de obra barata del Tercer Mundo.

A esto se suman las presiones de sus productores agrícolas o industriales contra la importación de nuestros productos más baratos. ¡Qué sinsalida! Entonces, ¿qué modelo social se plantea? El comunista, el marxista o el socialista clásico se desplomaron hace veinte años. La socialdemocracia nórdica tambalea hasta en los países escandinavos. Habrá que inventarse un modelo de Estado para la sociedad de este siglo que hasta ahora yo no vislumbro.

ANTONIO CABALLERO: Sobre esa derechización que usted menciona, el caso más diciente es probablemente el de Francia. En las elecciones presidenciales de hace dos años, cuando en la primera vuelta pasó Le Pen —el jefe de la ultraderecha—, la izquierda se volcó entera a votar por Chirac, es decir, por la derecha tradicional, conservadora y corrupta. Es decir, el hecho de que Chirac esté en el Palacio del Eliseo es lo único que le evita estar en la cárcel en este momento por la corrupción de sus veinte o veinticinco años en la alcaldía de París. Que se haya considerado como una victoria de la civilización el que sea la derecha y no la ultraderecha la que vence en Francia, me parece inquietante, por una parte.

Por otra, no es sólo que exista un creciente abismo entre los países ricos y los países pobres, sino que en los propios países ricos se está desmantelando toda una serie de cosas que se daban por sentadas desde antes de la Segunda Guerra Mundial, en Francia; desde los años cuarenta, en Inglaterra: el Estado de bienestar, las pensiones de los trabajadores, las garantías para la vejez, el seguro social gratuito y obligatorio, la educación más o menos gratuita. Eso está desapareciendo en todas partes. Eran conquistas sociales obtenidas hace más de medio siglo.

Curiosamente hace más de medio siglo una Inglaterra y una Francia mucho más pobres que las de hoy lo podían pagar, pero hoy —explican— ya no lo pueden pagar. Eso mismo explican los alemanes, que también están desmantelando lo suyo; y, por supuesto, los gringos de la derecha de Bush: sólo hay plata para los ricos, y no alcanza para los pobres. En todas partes se está desmantelando eso con el argumento de que los países ya no se pueden permitir ese lujo y, a la vez, vemos que, por el contrario, esos países son infinitamente más ricos. Francia es hoy más rica que hace cincuenta años, Inglaterra es más rica que hace cincuenta años, Italia, España… cualquiera de esos países. Con excepción de los nuestros, por supuesto.

Entonces no hay sólo un enfrentamiento entre países ricos y países pobres, sino de nuevo entre ricos y pobres en los países ricos. Como antes de las reformas traídas por la socialdemocracia. Es decir, en realidad, como antes de la revolución soviética de 1917. Eso provocó entre los capitalistas de Europa Occidental pavor a la revolución social proletaria. Y para evitarla los hizo entregar un montón de prebendas sindicales y sociales, con la consecuencia de la prosperidad general. Ahora, desaparecida la Unión Soviética, desaparecida la «amenaza» del comunismo, ya no tienen miedo. Y entonces están otra vez como en tiempos de Dickens y de Marx, como decía hace un rato. Con los niños trabajando como Oliver Twist, y los anarquistas poniendo bombas como Bakunin. Sólo que hoy se llaman «terroristas».

China

ENRIQUE SANTOS CALDERÓN: En medio de este meollo, hay un gigante que avanza a paso lento y seguro: la China. El único país que ha progresado de una manera asombrosa y consistente en los últimos años, que registra crecimientos económicos altísimos, que se está convirtiendo en una potencia exportadora incontenible. Paradójicamente, la China comunista es un país enorme que ha mantenido un régimen de partido único, con estricto control político sobre la población; que vio con espanto lo que pasó en la Unión Soviética, y que mantuvo su régimen político cerrado, pero que ha incorporado con paciencia e inteligencia la lógica capitalista del mercado, hasta el punto de que en la última asamblea nacional china, en marzo, se aprobó, ya por primera vez oficialmente, la propiedad privada. Yo, para resumir, les aconsejaré a mis nietos que de tercer idioma estudien el mandarín.

ANTONIO CABALLERO: En cuanto a la China, hay una cosa muy particular. La China efectivamente inició un aceleradísimo crecimiento económico en los últimos quince o veinte años, desde los tiempos de Deng Xiaoping, que hablaba del gato blanco o negro que caza ratones. Pero eso viene de antes. Es decir, la China dejó de ser un país hambriento hace muchísimo más tiempo. Dentro de lo terrible que en muchos aspectos fue el régimen comunista en tiempos de Mao Tse-Tung, de la revolución cultural —bueno, para empezar la revolución misma, el gran salto adelante, las cien flores, todas esas cosas que fueron acompañadas de infinidad de muertos—, el hecho es que económicamente la China había dejado de ser un país cuya población se moría de hambre, como lo había sido tradicionalmente en los últimos dos o tres siglos, hasta la revolución comunista. Y como lo sigue siendo, por ejemplo, la India.

La base era que había desaparecido la infinita miseria, aunque quedara una inmensa pobreza, por supuesto. Y eso se había logrado, fundamentalmente, gracias a dos instrumentos: uno, el partido único, el Partido Comunista, y el otro, el Ejército Rojo. Digamos que el orden social lo mantiene el Partido Comunista, pero el orden político y la independencia política frente a Occidente —porque no podemos olvidar que la China era prácticamente una colonia de Occidente hasta los años cuarenta, hasta la guerra con el Japón. Era un país, por una parte, en guerra; y, por otro lado, completamente sometido a Occidente—, la independencia, pues, la garantiza el Ejército Rojo, que hizo la revolución y descolonizó la China.

Y yo creo que una de las diferencias entre la descolonización africana y la descolonización asiática es que la descolonización en Asia la hicieron los propios pueblos asiáticos; en cambio, en África —aunque hubo guerras anticoloniales—, fue realmente una imposición de los Estados Unidos a los grandes imperios europeos: Francia, Inglaterra, Alemania, que ya lo había perdido todo con la Segunda Guerra Mundial. Creo que el hecho de que los pueblos asiáticos, desde la China hasta Vietnam, pasando por Camboya y por la inmensa India, también se liberaran de las potencias coloniales les da una ventaja sobre el África negra y el África árabe, inmensa.

ENRIQUE SANTOS CALDERÓN: Ya lo dije: el progreso económico de China está construido sobre la base de una absoluta carencia de libertades políticas, individuales y sindicales. Algo muy difícil de aceptar hoy en día en sociedades occidentales; creo que ni usted ni yo estaríamos dispuestos a aceptar un régimen autoritario y dictatorial como el chino, en función de un progreso económico.

América Latina

ANTONIO CABALLERO: Las aceptó Chile, ¿no? Nos han dicho aquí que el «milagro chileno»…

ENRIQUE SANTOS CALDERÓN: Es la otra cara de la moneda. La crisis del Estado de bienestar en Europa Occidental, de los preceptos socialdemócratas, es una realidad, pero no es invento de un puñado de capitalistas diabólicos. Ha hecho crisis un modelo de Estado paternal, que hoy hace agua por todo lado. No hay forma de pagar todos esos beneficios. Ni toda la plusvalía reinvertida en lo social alcanzaría.

Es lo que sucedió en América Latina en los años cincuenta, en Argentina o Uruguay, que eran modelos universales de prosperidad y beneficios sociales. Uruguay era la Suiza de América Latina, donde la gente se pensionaba a los cuarenta años y no había miseria ni desempleo, hasta que bajó el precio internacional de la lana y el esquema se comenzó a desplomar. Y en ese pequeño, civilizado e idílico país surgió la primera guerrilla urbana «moderna» de este hemisferio: los Tupamaros. Y vino el régimen militar de Bordaberry. Y comenzó la emigración masiva de uruguayos. En el aeropuerto de Montevideo pintaron una célebre consigna que decía: «El último que se vaya, que apague la luz». Hay que tener presente todo este pasado para preguntarnos qué modelo de Estado necesita un país como la Colombia de hoy. Cuando ni el paternalista de antes, ni el socialista de hace poco, ni el liberalismo capitalista parecen funcionar.

ANTONIO CABALLERO: En lo de copiar recetas extranjeras, el primero en darse cuenta de que eso no conducía a ninguna parte fue Simón Bolívar, que hablaba de las «repúblicas aéreas» que se estaban organizando en América antes de la reconquista española, copiando cosas de los Estados Unidos, copiando cosas de Francia, copiando cosas de Inglaterra, sin que esas cosas tuvieran raíces en la realidad latinoamericana. Por eso mismo Simón Bolívar tenía razón, por eso eran tan frágiles esas «repúblicas aéreas» frente a la reconquista española, que fue prácticamente un paseo militar en el primer momento. Vino después la guerra a muerte y todo eso.

Pero, sí, lo que nos la pasamos haciendo en toda América Latina —no es sólo un fenómeno colombiano, sino latinoamericano— es copiando modelos, copiando modelos... Los «tigres asiáticos», digamos, no copiaron ningún modelo: inventaron su propio modelo, como lo inventó la China, como lo inventó la India. La China no copió el de la India, la India no copió el de Camboya, Camboya no copió el de Taiwan, sino que cada cual se organizó de acuerdo con sus propias realidades. Nosotros aquí... hay que copiar a Chile, o hay que copiar a Cuba. Recuerdo ese famoso librito de Regis Debray sobre la revolución cubana, que se llama *Revolución en la revolución*, donde se dice que la revolución cubana triunfó porque no había copiado ni la revolución china, ni la revolución soviética ni la revolución francesa, sino que se había inventado su propio modelo. Y que, en consecuencia, había que copiar la revolución cubana.

ENRIQUE SANTOS CALDERÓN: Un libro funesto, que propició el fusilamiento de los intelectuales en guerrillas como el ELN y el EPL.

ANTONIO CABALLERO: Libro funesto, dañino y chorreante de sangre...

JUAN LEONEL GIRALDO: *América Latina se ve muy inestable. ¿Cómo se imaginan al país con el resto de vecinos cercanos, como Ecuador y Perú, y más lejanos, como México, Argentina y Chile...?*

ANTONIO CABALLERO: Colombia sigue siendo en gran medida el «Tíbet latinoamericano», como lo llamó alguna vez López Michelsen: un país herméticamente cerrado y orgullosamente indiferente al mundo. Ni a los colombianos en general, ni a los gobiernos en particular, les interesa ningún país que no sea Estados Unidos. Venezuela también, un poco, porque Venezuela se impone a nuestra atención en muchos aspectos. El diferendo fronterizo del golfo, la emigración de colombianos, el comercio... Los demás es como si no existieran. Nosotros sólo nos miramos el ombligo.

ENRIQUE SANTOS CALDERÓN: Frente a vecinos cercanos como Venezuela, Perú o Ecuador, y pese a sus violencias y conflictos, Colombia parece a veces un modelo de estabilidad institucional. ¡Cómo será la vaina! Pero lo cierto es que aquello del «Tíbet suramericano», expresión que usa mucho el ex presidente López pero que viene del profesor López de Mesa, es una analogía de un pasado ya remoto. Un país que viene de firmar un acuerdo con Mercosur, que se prepara para negociar un tratado de libre comercio con Estados Unidos, no puede estar mirándose al ombligo. Seríamos una nación de autistas.

7
La juventud y la mujer

Sin planes

JUAN LEONEL GIRALDO: *¿Cómo ven a la juventud del país?*

ENRIQUE SANTOS CALDERÓN: Yo veo a la juventud muy despolitizada, comparada con lo que fue la nuestra. Una juventud que ha perdido, o más bien nunca ha tenido ideales políticos, la ilusión en la política como un instrumento para cambiar la sociedad. La juventud es hoy más materialista, inmediatista y pragmática; piensa en su éxito personal; es escéptica de todo lo que es poder, Estado, políticos, y tiene poca vocación de servicio público. Es más, le teme, sobre todo en las capas altas, porque «acaba uno empapelado, multado o encarcelado».

La burocracia es el refugio de quienes no tienen otra forma de ganarse la vida. Lo que existía en generaciones anteriores, cuando ingresar al Estado, al servicio público, era un honor que calificaba y dignificaba y de donde se salía más pobre de lo que se entraba, es definitivamente algo del pasado. A la juventud la veo más pragmática y menos idealista. ¿Más «realista», tal vez?

ANTONIO CABALLERO: Estoy de acuerdo con eso. Pero, además, veo otra cosa, y es que la veo mucho más ignorante. No es culpa de la juventud, por supuesto. Lo vi de bulto. Hace muy poco fui jurado de un concurso de periodismo universitario, y me asombró el desconocimiento completo de la ortografía por parte de los estudiantes de periodismo. Son muchachos que pasaron ya el bachillerato y que no saben ortografía, no saben redacción, no tienen la menor idea de la historia, no conocen la geografía. ¿Cómo es posible que esos muchachos hayan llegado a la universidad, es decir, que hayan sobrepasado el bachillerato no sabiendo cosas que deberían haber aprendido desde la primaria? Eso es un problema no de la juventud, como digo, sino la consecuencia sobre la juventud del abandono completo de la educación por parte de los gobiernos de este país en los últimos treinta años. Bueno, y claro: eso se nota, por ejemplo, en la diferencia de la educación recibida en lo más alto del espectro: la de un presidente como Alberto Lleras hace cincuenta años, que no terminó el bachillerato, pero aprendió a leer en el bachillerato y la de otro presidente como Andrés Pastrana que del bachillerato y la universidad salió sin romperse ni marcharse: sin saber leer ni escribir.

Enrique Santos Calderón: También está el peso de toda la cultura audiovisual. La realidad es que los jóvenes casi no leen, no tienen nuestra pasión por los libros. Uno no los escucha, salvo contadas excepciones, discutiendo obras o escritores; no los ve con un libro en la mano. Muchos videos, mucha música; pero lo que es la lectura, como elemento de formación intelectual y de superación de la incultura, incluso de las limitaciones de las universidades, ha decaído drásticamente. Lo veo en la generación de mis hijos. Ya no leen o ya no se lee como antes, por lo menos.

Antonio Caballero: ¿Eso es una crítica a la revista *Semana*, que dirige su hijo Alejandro?

Juan Leonel Giraldo: *A propósito, Enrique, ¿cómo ve a su hijo Alejandro?*

Enrique Santos Calderón: Yo le reprochaba mucho que no leía lo suficiente. Lee cosas pragmáticas y puntuales, muchas revistas, mucha historia, biografías; pero no tiene el vicio, el hábito de la lectura, como lo tenemos nosotros. Uno no puede vivir sin un libro al lado; salir sin un libro, montarse en un avión sin uno. Ellos no. Incluso los que están metidos en periodismo no tienen la adicción de la literatura —que es distinta de la información—, y yo creo que esa es una limitante grande. Un consejo que siempre les doy a los aspirantes a ser periodistas es «lean, lean y lean». Ahora, la verdad, es que cada día es más difícil leer. Hay más distracciones. Hoy en día leo muchísimo menos de lo que leía hace treinta años. Está la tentación de los centenares de canales de televisión, la internet, etc., todo esto sumado al deterioro de la calidad de la educación superior, que también influye en el desinterés por la política y por los asuntos públicos. También viene de eso. Es que no leen ni prensa.

JUAN LEONEL GIRALDO: *¿Y su hija, Antonio?*

ANTONIO CABALLERO: Lo que pasa es que es mucho más joven que los hijos de Enrique. Ella tiene dieciocho años y está terminando bachillerato; y al tener dieciocho años lee más que los muchachos de treinta, porque esa es la edad en que se lee. Yo, por ejemplo, leo hoy mucho menos de lo que leía a los quince años. La fascinación del descubrimiento de la lectura es una cosa que pertenece a la adolescencia, y en eso está todavía mi hija. Supongo que leerá menos dentro de unos años.

ENRIQUE SANTOS CALDERÓN: En la revista *Credencial* salió hace poco una entrevista con los hijos de periodistas conocidos que también trabajan en los medios. Están el hijo de Daniel Samper, el hijo de Yamid Amat, el mío, y les preguntaron: «¿Ustedes qué piensan de sus padres?», y la opinión de Alejandro fue que éramos una generación de románticos que quiso transformar la sociedad sobre presupuestos ilusos y que se estrelló, fracasó. Por eso ellos se reivindican como más realistas y pragmáticos, ya no creen en esas utopías. Es el desencanto heredado de la generación de los años sesenta. Las generaciones posteriores vieron eso y aprendieron, mal que bien, algunas lecciones. Pero en el fondo transmiten una profunda envidia. Y es que nosotros tuvimos el privilegio de haber vivido los años sesenta, esa década que sí revolucionó culturalmente al mundo. Pero ya la juventud no se embarca así no más en proyectos altruistas de transformación social y cultural.

JUAN LEONEL GIRALDO: *Bueno, visiblemente no los hay.*

ANTONIO CABALLERO: Tampoco los hay, a escala universal. No hay grandes proyectos políticos, ni ideológicos, de ninguna índole. Pero eso del desencanto…, Yo creo que el desencanto es una cosa a la cual se debe llegar personalmente. Uno no puede estar desencantado por lo que haya sucedido con su padre o con su abuelo. Creo que el desencanto es un derecho que tiene cada generación. Además, toda generación acaba desencantada, o así ha sido más o menos en la historia del mundo, en los últimos cuarenta mil años. Yo no creo que los hombres de la edad de piedra, que inventaron la rueda, dijeran «Bueno, nuestra generación pasará a la historia por la invención de la rueda», al contrario, dirían «Cómo nos matamos, por qué murió aquella niña que era tan bonita»… Pero el desencanto es intransferible de generación en generación.

No me parece justificable desencantarse por ver que el pasado de la historia de la humanidad ha sido más de fracasos que de triunfos. Entre otras, porque también ha sido de grandes triunfos, triunfos en todos los aspectos: espirituales, materiales, quizás no morales. Aunque sí, también, han surgido en los últimos tres mil años personajes como Buda o como Cristo o como Sócrates o como Lao Tse, o en tiempos más recientes Gandhi o Nelson Mandela.

La mujer

JUAN LEONEL GIRALDO: *En cambio, las mujeres de las generaciones de ahora, además de parecer más bellas, se muestran menos desilusionadas...*

ENRIQUE SANTOS CALDERÓN: Porque son más libres, modernas y seguras de sí mismas. Entre los cambios más positivos está la emancipación de la mujer, lo que es la mujer hoy, lo que es la mujer hoy en Colombia. Aquí ha habido una evolución y emancipación tan veloz como admirable. En todo: en lo mental, en lo cultural, en lo físico. Pienso que es uno de los fenómenos más estimulantes de la sociedad colombiana de los últimos veinte años. Las mujeres están en todas partes: en puestos de liderazgo en todos los estratos. Impresionante y reconfortante.

ANTONIO CABALLERO: Es uno de los cambios más importantes que ha habido en Colombia. Hace cuarenta años, pienso que no había en Colombia un número significativo de familias cuyo jefe de hogar fuera una mujer, y creo que ahora más de la mitad de las familias colombianas tiene como jefe de hogar a una mujer. Porque las mujeres se han dado cuenta de que no necesitan al hombre. Lo pueden necesitar desde el punto de vista del amor o del erotismo, pero no lo necesitan como protector o como alimentador. Y eso en todos los niveles sociales y económicos. Hace cuarenta años, cuando Carlos Lleras nombró la primera ministra mujer, Esmeralda Arboleda de Uribe, tal vez se rompía una historia, porque en Colombia curiosamente no había habido ninguna mujer —con excepción quizás de Manuelita Sáenz— influyente dentro de la vida pública. O bueno, sí: Policarpa Salavarrieta, Manuela Beltrán, María Cano: heroínas.

ENRIQUE SANTOS CALDERÓN: Antes de 1957 no podían votar...

ANTONIO CABALLERO: Sí, pero eso es cierto en todos los países del mundo. No existía el voto femenino y, sin embargo, siempre en todos los países había habido mujeres importantísimas dentro de la vida pública. En Colombia no, en Colombia las mujeres estaban completamente marginadas, aplastadas. Jurídicamente, por una parte, no podían controlar su propio dinero, necesitaban la autorización del padre o del marido; pero tampoco se habían atrevido a tomarse las cosas en sus manos, y ahora uno ve que las mujeres no necesitan a los hombres para nada, salvo que los quieran. Y es un problema porque los quieren. A mí me parece preocupante. Me inspira poca fe en la inteligencia de la mujer el hecho de que quieran a los hombres.

JUAN LEONEL GIRALDO: *¿Por qué?*

ANTONIO CABALLERO: Porque los hombres no tienen nada que quererles.

ENRIQUE SANTOS CALDERÓN: Recuerdo cuando hacia 1974 o 1975 el presidente López Michelsen nombró como ministra a una señora que se había divorciado, Dora Luz Campo, y se armó la grande. Monseñor Darío Castrillón echó tantas peroratas desde el púlpito que a López le tocó «desnombrar» a Dora Luz, una mujer inteligente y capaz, porque se había divorcia-

188 MANO A MANO

do. Algo inconcebible hoy. Se ha evolucionado mucho realmente, y en lo sexual, ni hablar. Además de la liberación de la mujer en este campo, está la masiva salida del clóset del homosexualismo masculino y femenino.

ANTONIO CABALLERO: En este momento Colombia es uno de los países donde la mujer tiene más presencia pública —y privada también—. Comparada con cualquier país europeo, con cualquier país latinoamericano también y con los Estados Unidos, por supuesto. En los últimos años la mayor parte de los candidatos a la Presidencia han sido mujeres, aunque no haya ganado ninguna.

ENRIQUE SANTOS CALDERÓN: No, pero el porcentaje femenino en altos cargos públicos y privados o en el Congreso es, creo, el más alto del hemisferio.

ANTONIO CABALLERO: En la judicatura, en la banca. A eso contribuye también, claro, el fenómeno de la matanza de hombres, creciente; pues existe todo ese aumento de las familias cuya cabeza es una mujer, pero no sólo por la matanza o el desplazamiento, sino también por una cosa que decían en una época los sicarios de Medellín: «Padre puede ser cualquier hijueputa, pero madre no hay sino una». Eso es cierto. Es decir, el abandono del hogar por parte de los padres en Colombia yo creo que no tiene comparación con ningún otro país del mundo.

8
La prensa

El Espectador

Juan Leonel Giraldo: *Por supuesto, la prensa también está en crisis.*

Enrique Santos Calderón: Es un buen tema. Prensa, medios, democracia… En Colombia, ¿qué ha pasado? En la década de los sesenta comienza el ingreso del gran capital financiero, industrial, «extraperiodístico», en los medios de comunicación. Inicialmente a través de la radio. La cadena Caracol termina en manos del conglomerado de Santo Domingo, y el otro gran grupo económico, el de Ardila, consolida la cadena radial RCN. Ya en los años sesenta, RCN y Caracol, las dos principales cadenas radiales del país, son propiedad de dos conglomerados industriales financieros con toda suerte de intereses diversos. Se trata de un fenómeno que comienza a producirse en todas partes del mundo, en la medida en que el gran capital reconoce que la información es un factor importantísimo de influencia y poder al cual debe acceder directamente. Luego, en la televisión, la privatización significó que estos mismos grupos terminaran de dueños de los dos grandes canales nacionales.

En la prensa, en los medios impresos, hay más pluralidad. Colombia tiene una tradición de periodismo regional bastante fuerte y sólida. En todo lo que es Antioquia domina *El Colombiano*, con una gran influencia. En la costa, *El Heraldo*, de Barranquilla, y luego *El Universal*, de Cartagena, que tienen la predominancia indiscutible en sus regiones. En el Occidente, *El País*, de Cali, sigue mandando la parada. En el oriente está *Vanguardia Liberal*, de Bucaramanga. En Colombia hay más de treinta diarios de sólida trayectoria, lo cual podría parecer bastante insólito cuando todos los días en el mundo desaparece algún periódico.

Un caso dramático entre nosotros fue *El Espectador*, cuya desaparición como diario nacional fue grave para el periodismo colombiano y para el pluralismo de opinión. Puede sonar un poco raro viniendo del director de *El Tiempo*; pero la falta que nos ha hecho *El Espectador* como punto de referencia, como punto de emulación, como factor de competencia ha sido enorme. En *El Tiempo* a veces nos da la sensación de estarnos mirando el ombligo. Es el peligro de bajar la guardia, de no tener ese punto de comparación y competencia que durante más de ochenta años fue *El Espectador*. ¿Por qué desapareció? En parte, creo, por un manejo supremamente cerrado y familiar. *El Espectador* era una empresa 100% familiar, de los Cano, que terminó administrándose con un criterio casi feudal. Las diferentes áreas del periódico eran repartidas a ramas de la familia: los Cano Isaza manejaban la administración; los Cano Busquets, la redacción; los Cano Martínez, la producción. Eso, y una incapacidad para modernizarse, para entender lo que estaba pasando en el mundo de la información con el multimedia y la necesidad de diversificarse hacia otras formas de comunicación, sacar libros, sacar semanarios, tratar de meterse en la televisión o en la radio...; *El Espectador* siempre fue muy conservador y «purista» en este sentido.

ANTONIO CABALLERO: Me parece que una de las cosas que le pasaron a *El Espectador* es que llegó un momento en que no cabían en Colombia dos diarios de circulación nacional, porque la gente que durante muchísimos años había comprado dos diarios o más, dejó de hacerlo. Yo recuerdo que en mi infancia, en un pueblo de Boyacá, en Tipacoque (recuerdo que papá decía que las cosas que pasaban en Tipacoque eran un resumen de lo que sucedía en Colombia, y a mí me parecía una estupidez, pero luego vine a darme cuenta de que es así), recuerdo que cuando era niño, y después también, cuando tenía treinta años, cuarenta años, en ese pueblo perdido de Boyacá, se vendían algo así como diez *Tiempos* y cinco *Espectadores*. Ahora sólo se vende un *Tiempo*, el mío, y ningún *Espectador*, porque no llega. La gente no tiene plata para comprar periódicos, por un lado, y, por otro lado, se considera suficientemente informada con radio y televisión.

ENRIQUE SANTOS CALDERÓN: Sí, por ahí es. El menguante poder adquisitivo de la gente para comprar diarios y la competencia de los otros medios han ido erosionando a los periódicos.

No sólo la radio, que aquí es muy informativa, y la televisión, que es masiva, sino internet y las crecientes opciones informativas que tiene la gente. En el caso de *El Espectador* también se sumaron los golpes que recibieron del narcotráfico, los intentos de boicot publicitario en un momento dado del Grupo Grancolombiano y, por supuesto, el hecho de que *El Tiempo* tuvo un acelerado proceso de modernización y comenzó a desplazarlo en todo el país.

JUAN LEONEL GIRALDO: *Y su alineamiento político con los jefes que perdieron la pelea dentro del Partido Liberal...*

ENRIQUE SANTOS CALDERÓN: Sí, *El Espectador* fue bastante cerrado en muchas cosas y poco flexible políticamente. Pero eso fue secundario; creo que hubo un manejo empresarial torpe y miope, y fueron acumulando deudas, hasta que fue adquirido por el primer grupo económico del país, que sin embargo no pudo con el reto de comprar el periódico más antiguo del país y sacarlo adelante.

ANTONIO CABALLERO: Yo no sé si no pudo con ese reto, o si no quiso enfrentar ese reto; es evidente que el Grupo Santo Domingo, si le hubiera metido plata de verdad a *El Espectador*, habría podido sacarlo adelante; si le hubiera metido plata con una condición más, que es la de darle a *El Espectador* credibilidad y, en consecuencia, independencia de los intereses económicos y de los caprichos inmediatos del Grupo.

ENRIQUE SANTOS CALDERÓN: Eso me parece iluso. Basta analizar el manejo que le había dado el Grupo Santo Domingo a la cadena radial Caracol antes de vendérsela a los españoles, porque las pérdidas eran enormes. Estaba actuando prácticamente como un boletín de relaciones públicas o de divulgación de los intereses del Grupo. Eso de minimizar o ignorar hechos noticiosos que pudieran afectar los intereses del conglomerado (un accidente de Avianca, una huelga en Bavaria), como sucedió en una época con Caracol —para no hablar de la época de Samper—, pues no son las conductas más recomendables para construir credibilidad periodística. Y creo que esos antecedentes y esa prepotencia que exhibía en ese período el Grupo Santo Domingo —hoy su imagen y su conducta han cambiado notablemente— contribuyeron a que *El Espectador* no pudiera recuperar circulación ni credibilidad con sus nuevos propietarios.

Y las pérdidas, por supuesto, que eran enormes. Yo creo que sí le metió mucha plata el Grupo a *El Espectador*, pero ni siquiera la chequera de Julio Mario es infinita, y la pérdida de un periódico es diaria; es un hueco negro que crece cada día, y si no logras taparlo rápido, te sepultas. En fin, tal vez les faltó, como dice Antonio, invertirle más y tener más paciencia, o les faltó vocación periodística. La fórmula de volverlo semanario para reducir costos tampoco ha resultado convincente. Es un extraño híbrido que ni es revista semanal, ni diario dominical. Es triste lo que le ha pasado a *El Espectador*.

También demuestra que más vale «zapatero a tus zapatos». Una cosa es saber y querer hacer periodismo —como vocación, pasión y oficio primordial— y otra es adquirir medios por prestigio o porque la información es poder. Esto a veces no resulta, sobre todo en los medios impresos. En otros países ha resultado. Y uno ve en Estados Unidos, en Alemania, en Japón grandes corporaciones industriales y financieras dueñas de grandes diarios, emisoras y cadenas de televisión. El fenómeno de concentración que se ha producido en los medios de comunicación es impresionante y poco saludable para el pluralismo informativo y de opiniones.

ANTONIO CABALLERO: No, no estoy de acuerdo; pero eso funciona dentro del mismo género, es decir, televisión, diarios, entretenimiento, comunicaciones. Es el caso de Murdoch, o el de Black, como fue el caso de..., es decir, los grandes magnates de las comunicaciones. Pero el caso de Santo Domingo no; tiene Caracol, y luego *El Espectador*. El Grupo Santo Domingo no es un grupo de comunicación.

ENRIQUE SANTOS CALDERÓN: ... De comunicación, estrictamente, no. Pero también lo es, cada vez más, con sus cadenas de televisión y de radio, con sus revistas y con su ex diario. Lo que ocurre es que se trata de dos fenómenos distintos: las empresas que han evolucionado hacia la multimedia y que tienen que ver exclusivamente con la comunicación, en cualquiera de sus formas: prensa, radio o televisión, y los medios informativos que son apenas un tentáculo de un complejo conglomerado de intereses. Estas fusiones han lesionado mucho la credibilidad de revistas como *Time* o cadenas como CBS, en Estados Unidos.

ANTONIO CABALLERO: *El País* de España pertenece al Grupo Prisa, pero Prisa, por ejemplo...

ENRIQUE SANTOS CALDERÓN: Pero, precisamente, Prisa está dentro del esquema de grupos multimedia de comunicación, con *El País* de Madrid, con la cadena radial SER, con su canal

Plus de televisión. Eso es distinto y menos grave que cuando son grupos de comunicación que pertenecen a su vez a multinacionales de la farmacéutica, de la banca, de la industria química...

Cuando yo cuestionaba desde mi columna «Contraescape» el manejo que les daban los grandes grupos económicos, como el de Ardila o Santo Domingo, a sus medios, ellos respondían que *El Tiempo* también era un conglomerado económico. Falso, pues lo que ha hecho el periódico es desarrollarse como multimedia (revistas, semanarios regionales, libros, canal local de Citytv en Bogotá, etc.) dentro del negocio y el oficio de la comunicación. Hubo equivocaciones costosas en esta expansión, y nos metimos en inversiones ajenas a nuestra esencia, de las cuales hemos salido y estamos saliendo. Se trata de no desviarse del negocio base, ni caer en una maraña de inversiones que terminen por minar la credibilidad o la independencia de *El Tiempo*. Pero nada que ver con conglomerados que tienen su esencia en la industria de la cerveza, de la gaseosa, etc. Las utilidades de una sola empresa como Bavaria o Postobón, por ejemplo, superan quince o veinte veces las de todas las inversiones sumadas de la Casa Editorial El Tiempo.

JUAN LEONEL GIRALDO: *Pero en el caso colombiano se ve muy grave que en el país realmente no haya sino un periódico y una revista...*

ENRIQUE SANTOS CALDERÓN: Aquí hay otra percepción equivocada. Se cree que con la desaparición de *El Espectador*, *El Tiempo* se volvió un monopolio informativo. Quedó, sí, como único diario de circulación nacional. Pero, ¿monopolio? ¡Por

favor! *El Tiempo* es el periódico que más circula en Bogotá y
sus alrededores pero casi en todas las capitales departamentales somos el segundo o tercer diario en circulación, gracias a
que en Colombia existe un fenómeno de periodismo regional
muy implantado y fuerte. Alternativas informativas abundan
a nivel regional. Más preocupante resulta la concentración en
la televisión, cuya influencia, penetración e impacto son mucho más grandes que los de la prensa. Aquí dos canales privados nacionales, que sí pertenecen a conglomerados económicos,
controlan el 90% de la pauta publicitaria y el contenido de la
televisión colombiana.

La frivolización de los medios

ANTONIO CABALLERO: La televisión, efectivamente, tiene un
impacto mucho mayor. Pero la televisión es mucho más entretenimiento que comunicación; es más, cada vez es menos comunicación. La poca comunicación que hay en las cadenas de
televisión en Colombia, que son los noticieros (porque ya no
quedan prácticamente programas de opinión), en un 60% o
algo por el estilo, está dedicada exclusivamente a deportes; y
de ese 60%, un 90%, al fútbol. Es decir, la comunicación de
realidad, nacional o internacional, que existe en la televisión
es mínima.

ENRIQUE SANTOS CALDERÓN: La información, quiere decir...

ANTONIO CABALLERO: La información que existe en los medios de televisión es mínima y también es cada vez más insig-
nificante en..., bueno, en el único diario de circulación nacional
que queda, que es *El Tiempo*. Y en los diarios regionales tam-

bién. Por ejemplo, la desaparición casi absoluta de la información internacional, con excepción de la que se refiere a los Estados Unidos, es asombrosa. Un lector colombiano de periódicos que a la vez vea televisión y oiga radio únicamente colombiana, probablemente no sabe que existe un conflicto en el Medio Oriente, y probablemente no sabe que existe Corea del Norte, y probablemente no sabe que... No sabe nada, ni siquiera de los países vecinos, como Venezuela o Ecuador. Un lector o un oyente colombiano de radio o televisión no se entera de que el mundo existe, con excepción de los Estados Unidos. Yo creo que eso, en buena parte, se debe a la desaparición de la competencia. Y también a que efectivamente el público colombiano no está interesado en la información internacional. Pero no está interesado porque nunca se la han dado los medios de comunicación colombianos, entonces no tiene por qué saber que el resto del mundo existe.

ENRIQUE SANTOS CALDERÓN: Matizar, por favor, Antonio. Son generalizaciones demasiado drásticas. Es cierto, la información internacional en Colombia, de todos los medios, es muy pobre, y eso es una falla. No es que no exista, lo que pasa es que es poca y es pobre. También existe el fenómeno —muy colombiano— de desinterés por lo internacional. Es un país refractario a lo internacional, el Tíbet de Suramérica, como lo llamaba López Michelsen. Acuérdese de nuestra época en *Alternativa*, una revista de izquierda con un gran énfasis en los temas internacionales. Cada vez que dedicábamos una carátula a un tema internacional, tratárase del triunfo de Vietnam, de la victoria sandinista, de lo que fuera, la circulación se caía. Pero todo eso ha cambiado con la globalización, con internet, con los millones de colombianos en el exterior.

Otra cosa es la crisis económica de muchos medios, por todas las opciones y las alternativas informativas y por la información convertida en entretenimiento, lo que llaman en los Estados Unidos *infotainment*, la colonización de los medios informativos por la farándula, el espectáculo y la noticia *light*. En los Estados Unidos es impresionante el fenómeno. En revistas como *Time*, *Newsweek* y los grandes diarios ha aumentado mucho el porcentaje de páginas dedicadas a temas *light*. La frivolización que hoy acusan los medios masivos de comunicación es producto en parte de la competencia feroz por la circulación y por el *rating*, basada en que lo que le gusta a la gente es lo *light*, la frivolidad, el deporte, la farándula y el chisme sexual. Eso va imponiendo una especie de perversa lógica económica, en menoscabo de una información más seria y contextual.

ANTONIO CABALLERO: Ahí yo no estoy de acuerdo. Tanto en Estados Unidos como en Europa subsisten todavía muchísimos medios de información serios, no sólo *light*, es decir...

ENRIQUE SANTOS CALDERÓN: Ah, subsistir..., sin duda, ¡subsisten!

ANTONIO CABALLERO: ¿Por qué? Porque han reconocido que no están hechos para circular con dos millones de ejemplares, sino para circular, digamos, con trescientos mil. Es el caso de la revista *The Economist*, de la derecha. O del mensual *Le Monde Diplomatique*, de la izquierda.

ENRIQUE SANTOS CALDERÓN: Subsisten, pero cada día están haciendo más concesiones a eso. Fíjese que sí. Un diario tan serio como *The New York Times*, que se negó durante tantos años a poner color en sus páginas, porque le parecía una concesión innecesaria de la frivolidad, hoy tiene todos los días color en primera página y ha añadido toda clase de suplementos sobre entretenimiento, crónica social, estilos de vida, viajes, gastronomía.

ANTONIO CABALLERO: *¿The New York Times?*

ENRIQUE SANTOS CALDERÓN: El mismo. Y no ha perdido su lado serio, pero ha tenido que «frivolizar» parte de su contenido para no perder lectores, porque tienen una competencia enorme con otro tipo de diarios menos densos, que empiezan a llevarse lectores. Para no hablar del fenómeno de los diarios ya abiertamente sensacionalistas, que son los que más circulan en todo el mundo. Los tabloides ingleses, por ejemplo, o un *Bild Zeitung*, en Alemania, que circulan millones con base en la fórmula del sexo, sangre, escándalo...

ANTONIO CABALLERO: Son los que más circulan. Pero a la vez no tienen influencia sino en temas perfectamente secundarios, como cuando hay un escándalo de la casa real inglesa. La princesa y sus amantes, el príncipe y los suyos...

ENRIQUE SANTOS CALDERÓN: El desafío es cómo mantenerse en un nicho de información seria y no desaparecer. Los medios serios deben tener en cuenta la cambiante sensibilidad de la opinión, y la creciente competencia con centenares de canales de televisión abiertamente dedicados a lo *light*. Eso para no hablar de internet y de cómo está afectando la circulación de los periódicos. En la época audiovisual, cuando la gente lee cada vez menos, ésta tiene también internet, que además es gratis. Hoy son muy pocos los periódicos que cobran por el ingreso a sus páginas de internet. Todo esto golpea la economía de los periódicos, por eso hay menos páginas, y en ese espacio más reducido hay que dedicarle más a temas que la gente pide, aunque nos parezcan despreciables por lo «frívolos». Es algo bastante dramático. Lo importante es cómo mantenerse en ese desafío periodístico, sin perder el alma.

ANTONIO CABALLERO: Es como el fenómeno del fútbol en los programas deportivos de la televisión, en todas partes del mundo. El hecho de que efectivamente el fútbol tenga más espectadores que cualquier otro deporte no significa que la información deba limitarse al fútbol. Estoy hablando de la información de la televisión colombiana, de la televisión española, de la televisión inglesa, de la televisión francesa. Es decir, el hecho de que más gente vaya al fútbol no quiere decir que haya desaparecido el interés por el básquet o que haya desaparecido el interés por el... yo qué sé... por el... críquet. Y, sin embargo, el fútbol se lo ha tragado todo, porque los que manejan las televisiones dicen: «Es que lo que ve la mayor parte de la gente es fútbol. Y por eso no tenemos que dar información sobre críquet».

JUAN LEONEL GIRALDO: *Cómo ven la prensa de hoy respecto a la prensa colombiana de hace veinte, treinta años: ¿está mejor, peor...?*

ENRIQUE SANTOS CALDERÓN: Es que la prensa colombiana de hace treinta, cuarenta años, cuando no existía o no pesaba tanto la televisión, era una prensa totalmente politizada y partidista. Todos los diarios colombianos, grandes o pequeños, de provincia o de la capital, eran órganos de expresión del Partido Liberal o del Partido Conservador. Se caracterizaban por su militancia. Eran prácticamente órganos de partido. Había uniformidad partidista casi absoluta en la información, y no había ningún tipo de discrepancia o pluralidad en las páginas de opinión. Todos los columnistas y editoriales coincidían en una misma línea —liberal o goda— y la información reflejaba rigurosamente la línea editorial. No existía el concepto de objetividad o equidad en la información política. No se hablaba del «otro» partido, salvo para atacarlo. Hasta mediados del siglo xx la prensa más politizada en el continente fue la colombiana.

A partir de los años sesenta comienza a cambiar con el ingreso de las primeras generaciones salidas de facultades de periodismo y con los conceptos libertarios y rebeldes de esa década. Hoy en día, los diarios son mucho más pluralistas; a estas alturas sería inconcebible una información tan parcializada y partidista como aquélla. El Tiempo, por ejemplo, a comienzos de los cincuenta, no mencionó durante dos años el nombre del presidente Laureano Gómez, a quien consideraba ilegítimo. Se ha avanzado mucho. Y posiblemente se ha perdido en otro sentido: los diarios ya no son tan serios, ni trascendentales.

La prensa hoy no tiene el impacto político de antes. Aunque para mí, desgraciadamente, perdura el fenómeno de la utilización del periódico para hacer política. En El Tiempo hemos tenido varios debates y crisis por aquello de utilizar el periódico como trampolín hacia la política. En el resto del país el fenómeno sí es grave. En El Colombiano, de Medellín, el segundo periódico del país, el dilema simplemente no existe: uno

202 MANO A MANO

de los propietarios es senador y escribe columna; ha sido alcalde, será otra vez gobernador. Algo parecido ocurre en *El País*, de Cali, o en *El Heraldo*, de Barranquilla. No se considera que haya un tenaz conflicto de intereses al tener un periódico y estar al mismo tiempo en el gobierno o en el Congreso.

ANTONIO CABALLERO: Uno de los copropietarios de *El Tiempo*, Francisco Santos, es a la vez vicepresidente de la República.

ENRIQUE SANTOS CALDERÓN: Sí, por supuesto. Y por eso decía que no hemos logrado superar del todo este problema. Es que cada quien es dueño de sus ambiciones y esto es incontrolable. Pero tanto el caso de Francisco como el de Juan Manuel Santos han dado lugar a muy explícitas posiciones públicas del periódico.

ANTONIO CABALLERO: Por supuesto, pero...

ENRIQUE SANTOS CALDERÓN: Mi convicción es que hay una incongruencia fundamental: uno o se dedica al periodismo o se dedica a la política.

ANTONIO CABALLERO: Pero es que yo creo que en Colombia hay dos tradiciones del periodismo: la tradición, digamos, anglosajona, y sobre todo la tradición latina: francesa, española, italiana y de todos los países de América Latina. La tradición latina consiste en que la prensa se utiliza para hacer política. En el caso particular de Colombia, desde los tiempos de Antonio Nariño y de Simón Bolívar, cualquiera que quisiera hacer política lo primero que hacía era montar un periódico: como en la Francia de la Revolución Francesa. La tradición anglosajona es otra. Los periódicos surgían fundamentalmente por razones comerciales: el *Diario de la Marina*, el *Diario del Comercio*, cosas así, para anunciar que llegaban los barcos a tal sitio y que partían para tal otro llevando tal carga; las noticias que daban eran mucho más económicas que políticas. En Colombia, como en toda América Latina y en todo el mundo latino, franco-ítalo-español (y también alemán y ruso), la prensa ha sido fundamentalmente un instrumento de hacer política, y que lo siga siendo no me sorprende; justamente estábamos hablando hace un rato de que ahora los periódicos en este país están cayendo en manos de grupos económicos; eso ha sido siempre cierto en la tradición anglosajona. Yo no sé cómo hacen en Japón, realmente... Pero aquí eso es así, y sería absurdo esperar que eso cambie de la noche a la mañana...

ENRIQUE SANTOS CALDERÓN: Es que el origen histórico del periodismo es esencialmente político. El que quería en el siglo XIX fundar un grupo o partido político debía tener un órgano de difusión. Se fundaba un periódico para hacer un partido o viceversa. Pero ya no, por favor.

JUAN LEONEL GIRALDO: *Es lo que decía Lenin: «Sin periódico no hay partido».*

ANTONIO CABALLERO: Indudablemente...

ENRIQUE SANTOS CALDERÓN: Sí, hace un siglo. Pero los periódicos pasaron de ser voceros de partidos y de caudillos políticos a convertirse en voceros de la opinión pública. El compromiso ya no es con tal partido, sino con un público lector heterogéneo que aprendió a exigir una información no politizada y más equilibrada de los acontecimientos. Hoy día es inconcebible que un periódico respetable en cualquier país subordine su contenido a una corriente política partidista. Otra cosa es tener una posición editorial que se identifique con tal filosofía política o que apoye a tal candidato. Esto es, además, saludable; que se oriente, que se fije posición en el espacio indicado: el editorial. Muy distinto de que el conjunto de ese medio, en todas sus informaciones, titulares y fotos, tenga que transmitir sólo esa visión.

Y otra cosa es la prensa abierta y explícitamente política y militante, que también subsiste. Aquí y en todas partes. En Colombia tenemos a *Voz*, del Partido Comunista; a *Tribuna Roja*, del MOIR; a los pasquines esporádicos de muchos barones políticos. Incluso *El Siglo*, de Bogotá, que es un órgano doctrinario de una vertiente del conservatismo. En Europa existen mucho, sobre todo en la izquierda. Pero son pasquines grupistas, más que órganos de información.

ANTONIO CABALLERO: Se presenta en la izquierda y también en la derecha. No digamos en la derecha extrema, en la derecha. En los periódicos, en los periodiquitos de extrema derecha austriaca, por ejemplo, o en los periodiquitos de la derecha española.

ENRIQUE SANTOS CALDERÓN: Pero se caracterizarán por ser eso... periodiquitos... Porque son de sectas, ¿no?

ANTONIO CABALLERO: Pero eso no quiere decir, ni muchísimo menos, que la gran prensa, en ninguna parte del mundo, ni en los Estados Unidos, ni en Italia, ni en Colombia, haya dejado de hacer política; por supuesto que es completamente política.

ENRIQUE SANTOS CALDERÓN: En el sentido más general, en que defienden principios, valores, intereses. Pero dentro de un intento de respetar la pluralidad, ser equilibrados y no caer en tentaciones palaciegas o politiqueras.

ANTONIO CABALLERO: Digamos que de tratar de ser menos tramposos, de manipular menos..., de manera menos grosera o menos cruda a sus lectores.

ENRIQUE SANTOS CALDERÓN: Cada vez más, en lo que a mí me toca, existe clara voluntad de hacer, de buena fe, periodismo objetivo.

ANTONIO CABALLERO: También existe la buena fe, que...

ENRIQUE SANTOS CALDERÓN: No, tampoco. La objetividad pura es, por supuesto, un mito. No hay objetividad absoluta en un proceso de producción periodística donde permanentemente intervienen elementos de la subjetividad. Desde que tú escoges qué noticia va en primera, a cuántas columnas va, cómo se titula, ya se está valorando, juzgando...

ANTONIO CABALLERO: Por supuesto.

ENRIQUE SANTOS CALDERÓN: Es obvio.

ANTONIO CABALLERO: Y es inevitable.

ENRIQUE SANTOS CALDERÓN: Pero, carajo, mucho se ha avanzado desde aquellas épocas en que *El Tiempo*, el día de elecciones, siempre titulaba «¡Liberales a las urnas!», a ocho columnas, en primera página y en tinta roja.

ANTONIO CABALLERO: Sí, también es cierto que lo que pasa es que ahora no hay diferencia entre los que van a las urnas, si son liberales o conservadores, sino entre los que van y los que no van. Ahora *El Tiempo* dice «Colombianos a votar», y el editorial del día siguiente es, sistemáticamente, «Ejemplo para la democracia».

La revista *Alternativa*

ENRIQUE SANTOS CALDERÓN: Sistemática, su ironía, que no me parece contribuya mucho a entender el problema. Como no me parece necesariamente perverso motivar a la gente a que participe en elecciones. Otra cosa es manipularla con títulos o noticias para que vote por éste o aquél. Hay una diferencia.

Vuelvo al otro fenómeno, que es el del periodismo francamente militante, como el que practicamos usted y yo en los años setenta en *Alternativa*. No fue militante en el sentido de grupo o partido, porque uno de los propósitos de *Alternativa* era contribuir a la «unidad crítica» de la izquierda en general y evitar el sectarismo ideológico de esa época —entre maoístas, mamertos, trotskistas, elenos, etc.—. Pretendimos ilusamente que se superara ese canibalismo en función de unos intereses comunes de la izquierda.

Era un periodismo militante porque no pretendíamos ser objetivos. Teníamos una posición contra el sistema; era un periódico de contrainformación de cara a la «gran prensa». Privilegiábamos claramente a un sector de la sociedad sobre otro. No se nos ocurría darles el mismo cubrimiento a los discursos del doctor Mosquera Chaux, que a los discursos de Pacho Mosquera, por ejemplo. Y lo revelador fue constatar cómo la gente sí quería otra visión de lo que pasaba en Colombia. En esos años *El Tiempo, El Espectador, El Colombiano, El País,* toda la prensa regional, todas las revistas que existían, transmitían esencialmente la misma visión del país.

Cuando apareció *Alternativa* hablando de otro país, mostrando las luchas populares, dándoles voz a los sindicatos, hablando del movimiento armado, denunciando atropellos de los terratenientes, destapando escándalos políticos y chanchullos financieros, pues el impacto fue grande.

Antonio Caballero: No existían para la prensa.

Enrique Santos Calderón: De ahí el éxito de *Alternativa*... El hecho de que pudimos mantenernos durante seis años sin avisos, a punta de pura circulación, era porque había un público ávido de esa otra cara de la realidad colombiana.

Antonio Caballero: Semanal...

Enrique Santos Calderón: En ese sentido, *Alternativa* sentó un precedente y marcó un hito significativo en la historia reciente del periodismo colombiano.

Antonio Caballero: Yo creo que efectivamente sirvió para que la otra prensa, digamos, la gran prensa (aunque fuera pequeña, pues podía ser *La Patria,* de Manizales, que no es grande y, sin embargo, sí es de la gran prensa), toda esa prensa, tuviera que tratar temas que hasta entonces eran completamente ignorados: las luchas sindicales, la lucha armada. Esos temas no existían o se llamaban de otra manera: se llamaban bandolerismo o se llamaban sindicalismo subversivo. Porque en esa época la palabra que se usaba era *subversión*, no *terrorismo*, como ahora.

JUAN LEONEL GIRALDO: *¿Y cuántos ejemplares alcanzaron a tirar?*

ENRIQUE SANTOS CALDERÓN: Fue una experiencia realmente singular. La izquierda no tenía una prensa moderna o profesional. Era un periodismo de secta y de jerga. El órgano del Partido Comunista, el semanario *Voz Proletaria*, tenía solamente la línea de la Unión Soviética; el del MOIR —*Tribuna Roja*—, con los kilométricos discursos de Pacho Mosquera; o los del trotskismo, sólo para trotskistas. Además, eran periódicos mal presentados y diagramados, sin ninguna técnica moderna de periodismo. *Alternativa* revolucionó, en este sentido, lo que había sido aquí la prensa de la izquierda.

El primer número de *Alternativa* salió con diez mil ejemplares, que era una locura, pues toda la prensa de oposición no circulaba con más de siete u ocho mil. Pensamos que podíamos quebrarnos, pero tuvimos la feliz circunstancia de que aparecimos con un artículo exclusivo de García Márquez —que se había vinculado a la fundación de la revista— sobre el golpe en Chile. Éramos tan soberbios o ingenuos que ni siquiera le dimos carátula, apenas cintilla.

En todo caso aparece en febrero de 1974 el primer número de *Alternativa*, que en veinticuatro horas se agotó. Además, porque fue decomisada en los quioscos por subversiva, lo cual le ayudó mucho a la venta por el escándalo que se armó. De ahí en adelante —hasta la primera crisis que tuvimos— aumentó sistemáticamente la circulación. El segundo número quince mil, el tercero veinte mil, treinta mil… Era algo increíble y casi delirante. El tope máximo de circulación al que llegamos a la altura del número 17 fue de 43 mil ejemplares, más del doble que la de los dos diarios conservadores de Bogotá —*El Siglo* y *La República*— combinada. Recuerdo que la portada de ese número era sobre «Literatura y revolución».

Antonio Caballero: Era una época revolucionaria...

Enrique Santos Calderón: Sí, había fermento revolucionario, politización, un ansia de saber qué estaba pasando en el movimiento obrero y campesino, que protagonizaba grandes luchas y estaba en auge. Era ese ambiente de denuncias de la cosa oligárquica, de la corrupción política, ¿no?; entonces *Alternativa* se vendía como pan caliente.

Pero vino la primera crisis interna, que fue un golpe demoledor a nuestra credibilidad y, por ende, a nuestra circulación. Nosotros, que veníamos promoviendo la unidad de la izquierda, la tolerancia, no más sectarismo ni divisionalismo y ¡pum!, nos estalla semejante ruptura entre las corrientes de izquierda que aglutinaba la revista. La vaina fue tan grave que produjo dos *Alternativas*.

Eso afectó muchísimo la imagen de la revista. Después de eso nunca recuperó la audiencia y circulación inicial que tenía. Sin embargo, duramos seis años más.

JUAN LEONEL GIRALDO: *¿Quiénes formaron parte de* Alternativa?

ENRIQUE SANTOS CALDERÓN: *Alternativa* fue producto de una confluencia de grupos y personas que estaban en lo mismo: cómo lograr un medio de difusión amplio para las ideas de izquierda.

Por un lado estaba el grupo de investigación sociológica, que dirigía el sociólogo Orlando Fals Borda; con él estaban Augusto Libreros, Víctor Daniel Bonilla, Carlos Duplat y otros. Tenían una fundación de investigación y acción social, y en lo agrario estaban muy metidos con el movimiento campesino de la ANUC.

Por otro lado estaba un grupo de la Universidad del Valle, que lideraba Bernardo García, de tendencia más intelectual y medio trotskista. Y por otro lado estábamos un grupo de periodistas, de intelectuales sueltos, de pintores y gente de cine, Jorge Villegas y Diego Arango, entre ellos.

ANTONIO CABALLERO: Bueno, también había un grupo de la Anapo socialista, con Carlos Vidales.

ENRIQUE SANTOS CALDERÓN: Esos vinieron un poco después, aportados por el M-19, que acababa de aparecer y ya estaba metido en la revista. Nosotros veníamos con un grupo, con Jorge Villegas y Diego Arango, experimentando con periodismo directo mural popular en los barrios surorientales, para movilizarlos contra los desalojos de los urbanizadores. Todos esos grupos y personas coincidieron en la necesidad de hacer una revista bien periodística y bien distinta, que aglutinara tanto esfuerzo disperso. Era un momento especial, de auge de la protesta popular, de mucha sensibilidad y politización, de compromiso honesto con una causa que estuviera por encima de grupismos y personalismos. En fin… había un vacío que *Alternativa* de alguna manera logró llenar durante esos seis bellos y extenuantes años. No sé cómo los recuerde Antonio, quien llegó a ser el jefe de redacción en la etapa clave de *Alternativa*.

ANTONIO CABALLERO: En ese tiempo, la politización existía en las universidades, en todas: las públicas y las privadas. Eran épocas en las que había huelgas en la Universidad de los Andes, en la del Rosario. Existía, pues, esa politización de izquierda, dividida en muchos grupos. Por otra parte, era antes de que la política de izquierda hubiera sido monopolizada y, sobre todo, asaltada exclusivamente por la lucha armada.

En esa época existía la lucha armada, por supuesto; existían las FARC, el ELN, existía el EPL…

ENRIQUE SANTOS CALDERÓN: Y el M-19, por favor.

ANTONIO CABALLERO: Y el M-19, que empezaba en ese momento. Pero la política de izquierda no era exclusivamente la política armada. Existía el Partido Comunista, por una parte, con sus «diversas formas de lucha»; pero en una época en que el Partido Comunista tenía influencia sobre las FARC y no viceversa, y existían todos los otros grupos, algunos claramente antilucha armada. Por ejemplo, todos los trotskistas eran antilucha armada.

ENRIQUE SANTOS CALDERÓN: También el MOIR.

Antonio Caballero: El moir era antilucha armada. Pero había también grupos maoístas de lucha armada, como el epl o... ¿cómo se llamaba el partido del epl?

Enrique Santos Calderón: El pc-ml (Partido Comunista Marxista Leninista), que, como el moir, se oponía al «social-imperialismo soviético», pero a plomo físico.

Antonio Caballero: Y estaba la Anapo socialista, que también era un sector rojaspinillista, digamos, dentro de la Anapo.

Enrique Santos Calderón: Pero ese sector viró hacia el m-19.

Antonio Caballero: Viró hacia el m-19, pero estaba inspirado en el peronismo argentino. Es decir, como el peronismo, era un fenómeno fundamentalmente populista, y tenía también un sector de izquierda que después se convirtió a la lucha armada, como el de Montoneros.

Yo creo que en este momento sería mucho más difícil de hacer una revista como *Alternativa*, no sólo por razones de costo, que ahora son infinitamente mayores que en ese entonces.

Enrique Santos Calderón: Sino también por razones de supervivencia física.

Antonio Caballero: También de supervivencia física, pero sobre todo porque no existe esa politización que existía en esos años. La politización que hay hoy es otra: es la politización generada por el monopolio de la lucha armada tanto de la derecha como de la izquierda.

ENRIQUE SANTOS CALDERÓN: En ese entonces había un fermento real, un auge de lo que se llamaba movimiento de masas, movimiento campesino, de los sindicatos politizados, de las universidades politizadas, y esto ocurría en toda América Latina, además. También se presentaba la lucha armada: los Montoneros en Argentina, los Tupamaros en Uruguay, el MIR chileno. Ya era un clima bastante condicionado, muy politizado de izquierda, de fervor revolucionario, donde una revista como *Alternativa* evidentemente se movía muy bien. Estaba respondiendo al momento. Hoy el modelo socialista-marxista está en crisis. Esos períodos no se repiten y una revista como *Alternativa*, con su mismo contenido político, tal vez no tendría cabida. Sí, sus denuncias y su crítica del poder. Pero tendría que ser de otro tipo, con más humor e imaginación y menos militantismo ideológico.

JUAN LEONEL GIRALDO: *Hoy en Colombia es muy peligroso sostener una opinión política pública...*

ENRIQUE SANTOS CALDERÓN: Por eso digo que hoy en día hacer *Alternativa* sería imposible. También por un problema de seguridad personal, por la intimidación atroz que se vive, por la violencia de izquierda y derecha contra los periodistas. Si en esa época, de menos polarización, las primeras bombas, los primeros actos de violencia contra el periodismo los sufrimos nosotros. En 1976 explotó una bomba en la sede de la revista y otra en mi casa. Contra *Alternativa* fue por la forma como nosotros reconocíamos la lucha armada y denunciábamos los atropellos del Ejército. Los precursores de lo que hoy se llama paramilitarismo fueron los que hace treinta años quisieron intimidarnos a punta de bombazos.

JUAN LEONEL GIRALDO: *Antonio, ¿quién camina más en el filo de la navaja en* Semana, *Felipe López con lo que usted escribe en su columna, o usted pensando en no pisar callos que molesten a Felipe?*

ANTONIO CABALLERO: Yo creo que ninguno de los dos. A mí me conviene escribir en la revista de más circulación de Colombia, que es *Semana*, y a Felipe López le conviene que el columnista más leído de Colombia —que soy yo— escriba en su revista. Pero ni él piensa en las callos que yo piso, ni a mí se me ocurre pensar en no pisar determinados callos por cuenta de él. Creo que ni siquiera me lee.

JUAN LEONEL GIRALDO: *Usted contó que alguna vez Felipe López le pidió cambiar en una de sus columnas el calificativo de "tahúr de la política" por "profesional de la política" hablando de su papá, Alfonso López Michelsen. ¿Ha vuelto a pasar?*

ANTONIO CABALLERO: No. Yo creo que ese ha sido el único caso. Y otra vez, después de un artículo mío sobre, es decir contra, la política del gobierno de Israel frente a los palestinos, me pidió que escribiera otra columna sobre lo mismo para «aclarar» mi oposición ante los judíos. La escribí, claro, porque mi posición ante los judíos siempre ha sido clara. Estoy con ellos a lo largo de la historia. Y estoy contra el gobierno del Estado de Israel, desde 1948.

JUAN LEONEL GIRALDO: *Antonio, ¿cuál fue la referencia burlona sobre Vargas Llosa que le costó la salida de* El País *de Madrid, pues le dijeron que no se podía porque él era un hombre de la casa?*

ANTONIO CABALLERO: Me limité a decir que, cuando uno leía los artículos de prensa de Vargas Llosa, daba la impresión de que Vargas Llosa no hubiera leído ninguna de las novelas de Vargas Llosa. Y eso no gustó. Y *El País* no publicó el artículo. Y entonces me fui. Vargas Llosa tiene un ensayo sobre la literatura de ficción que se titula «La verdad de las mentiras». Debería escribir otro sobre la literatura de realidad, sobre el periodismo —el suyo, para empezar—, que se titulara «La mentira de las verdades».

JUAN LEONEL GIRALDO: *¿Cuál es el medio en el que se ha sentido más a gusto escribiendo? ¿Fue en* Alternativa?

ANTONIO CABALLERO: *¿Alternativa?* No, ni mucho menos. Al contrario. En *Alternativa* yo me he sentido más reprimido y constreñido que en ninguna otra parte, porque no era yo: éramos todo un grupo, y había que hablar (más o menos) con una sola voz. Cuando había discrepancias internas en el grupo —o sea, casi todo el tiempo—, eso era dificilísimo. Todos los artículos de todos los redactores, sobre lo que fuera, sobre política, sobre cine, sobre temas sindicales, había que leerlos en voz alta en el consejo de redacción, discutirlos, corregirlos... Un horror. No. Donde más a gusto me he sentido yo siempre es en la revista española *Cambio 16*, donde escribía o informaba sobre lo que me daba la gana y como me daba la gana. Y en *Semana*, con las columnas.

Lo que supervive de la fe

JUAN LEONEL GIRALDO: *¿En qué siguen creyendo de lo que creían antes?*

ANTONIO CABALLERO: Pues yo más o menos en todo. Sigo considerando que, a escala colombiana (y a escala internacional, ¿no?, pero primero a escala colombiana), el hecho fundamental que genera todo lo demás en Colombia es la injusticia social.

Sigo considerando que la lucha armada tiene un origen político y social legítimo, aunque la evolución que ha tenido en los últimos veinte años le ha quitado legitimidad moral, fundamentalmente en cuanto a sus métodos, ¿no? El secuestro, por ejemplo, es el crimen más inmoral que existe, y no tiene ninguna justificación política. Recuerdo haber dicho eso desde tiempos de *Alternativa*. Secuestros, incluso, que no eran en esa época secuestros económicos, sino secuestros eminentemente políticos, como fue el de José Raquel Mercado por parte del M-19. Eso no era para tener a un rehén a cuya familia se le pedía plata, era un secuestro político para obtener resultados políticos frente al gobierno de la época, que era el gobierno de López, que no cedió. Y, en consecuencia, el pobre José Raquel Mercado fue asesinado. Porque evidentemente si se secuestraba a una persona así, a un líder sindicalista corrupto, como era José Raquel Mercado, y se lo sometía a lo que llamaban en esa época un *juicio del pueblo*, pues era inevitable que tuviera que ser condenado. No podía no serlo, salvo que el juicio se convirtiera en una verdadera farsa, más aún de lo que ya era.

¿En qué sigo creyendo? Sigo creyendo que el poderío mundial de los Estados Unidos es nocivo no sólo para la democracia, sino nocivo para la vida cotidiana de todos los habitantes del planeta, incluidos los propios norteamericanos. Con excepción, por supuesto, de una ínfima minoría, quiero decir algo así como el 0,3% de la población norteamericana, y de una aún más ínfima minoría de la población del resto del planeta. Y considero que eso no es necesario. Creo que es el resultado de la codicia y del miedo, pues esas son las dos cosas de las cuales todo lo demás se deriva.

ENRIQUE SANTOS CALDERÓN: Yo sigo creyendo en luchar contra la injusticia social y en la denuncia de la corrupción en todas sus formas, que es otra forma de despojo social. Creo que la función de uno como periodista hoy en día es no perder de vista eso, no dejar de denunciarlo ni de combatirlo. No creo ya en las soluciones que en ese momento creíamos que eran factibles o deseables para aliviar esos males, que era el modelo socialista, y que se podía remplazar este sistema cerrado, injusto, corrupto, por un Estado de corte socialista, aunque ya en esa época, que conocíamos la realidad de los países comunistas, éramos bastante escépticos de la concepción marxista del Estado, con sus partidos únicos y «dictaduras democráticas del proletariado».

ANTONIO CABALLERO: De la cosa leninista.

ENRIQUE SANTOS CALDERÓN: Se ha demostrado que no funciona. La estatización de todo; la socialización de los medios de producción sociales no es la fórmula.

A diferencia de Antonio, tampoco creo hoy en la legitimidad de la lucha armada, que si bien tiene sus orígenes en raíces sociales y económicas y hasta políticas —de los tiempos de la guerrilla liberal, o de los grupos de autodefensa campesina que dieron lugar a las FARC—, en la Colombia del siglo XXI no tiene justificación ni es alternativa política alguna.

Estos grupos se han convertido en un *modus vivendi*, en un fenómeno que ya no es solamente de supervivencia sino de prepotencia armada, con sus feudos podridos y ramificaciones de intereses económicos y de toda índole. Para no referirme de nuevo a los intereses de los grupos armados de derecha, que tienen su propio imperio de terror y coacción en los feudos que controlan, y cuyo crecimiento ha sido mucho más acelerado que el de las FARC. En lo geográfico-político y, sobre todo, en lo económico.

Al margen de sus vínculos con el narcotráfico, impresiona la forma como autodefensas y PARAS están manejando esferas de la economía ilegal y legal: el contrabando de gasolina, la explotación maderera en el Magdalena Medio y otras zonas, las cooperativas de salud. La lucha armada, marxista o fascista, ha demostrado ser una inagotable fuente de ingresos para sus promotores. Basada, claro, en el poder de «convencimiento» que es poder matar a tu competidor.

ANTONIO CABALLERO: Yo creo que lo que ha cambiado ahí es fundamentalmente el objetivo de la lucha armada. Y considero, pensando con Mao, que el poder nace del fusil. Eso es cierto tanto en los estados legítimamente constituidos, que tienen o deberían tener el monopolio de la violencia, es decir, el monopolio de las armas, como sucede en los estados más o menos organizados del mundo entero, sean democracias o dictaduras, sean de derecha o sean de izquierda, sean dictaduras de derecha o dictaduras de izquierda.

Incluso, es decir, yo qué sé, la dictadura de Fidel Castro en Cuba tiene efectivamente el monopolio del fusil, como lo tuvo durante cuarenta años la dictadura de derecha de Franco en España, o la de Stalin en Rusia, o la de Hitler en Alemania. Efectivamente eran estados que habían obtenido y mantenido el monopolio de las armas.

ENRIQUE SANTOS CALDERÓN: Pero también en la democracia debe haber un monopolio de las armas por parte del Estado...

ANTONIO CABALLERO: Sí. Pero en Colombia ese monopolio de las armas nunca lo ha tenido el Estado, y eso es lo que ha permitido desde hace al menos cincuenta años, es decir, desde las guerras entre liberales y conservadores, desde la Violencia, la aparición, por un lado, de guerrillas liberales; y, por el otro lado, de esas guerrillas conservadoras, que eran los «pájaros» y los «chulavitas», que se llamaban así en un momento dado. Se atrevían a llamarlas desde el propio gobierno «guerrillas de paz»; guerrillas de paz, porque el gobierno, el Estado colombiano con su Ejército legítimo era incapaz de mantener el orden y la paz en Colombia.

Entonces, en un país donde el Estado es incapaz de conservar ese monopolio, no me extraña que surjan organizaciones armadas para obtener objetivos políticos. Pero resulta que, en mi opinión, los medios corrompen los fines. No sólo los fines no justifican nunca los medios, sino que los medios corrompen siempre los fines. Un medio, por ejemplo, tan atroz, tan inmoral como el secuestro, deslegitima cualquier fin. Porque a mí no me parece particularmente inmoral que una guerrilla se mantenga del contrabando de droga o de lo que sea; todas las guerrillas se han mantenido así tradicionalmente en el mundo entero, empezando por las guerrillas norteamericanas contra los ingleses, las que organizaba George Washington con los recursos del contrabando. En esa época era el contrabando de té, ahora el contrabando es de cocaína o de heroína. El narcotráfico no es nada distinto del contrabando; sólo que en este momento lo que está prohibido es la coca y no el té.

ENRIQUE SANTOS CALDERÓN: Sí, de acuerdo, pero ha sido el secuestro lo que más ha exacerbado a esa inverosímil cantidad de colombianos que lo han padecido. Fue —el secuestro— lo que más alimentó el fenómeno paramilitar.

ANTONIO CABALLERO: Y ¿los fines? Yo no creo que en este momento un grupo armado como las FARC esté de verdad interesado en el fin de conquistar el poder político dentro del Estado. Creo que está interesado sólo en ejercerlo localmente, y de una manera tan corrupta y tan arbitraria y para obtener los mismos objetivos, fundamentalmente económicos, como lo hacen en cualquier pueblo del país los representantes del establecimiento liberal o conservador.

ENRIQUE SANTOS CALDERÓN: Un momento. No es lo mismo hoy en día el venal gamonal, que el guerrillero, porque el manzanillo liberal o conservador no les impone la pena de muerte a sus contradictores, como lo hacen en sus feudos locales la guerrilla o los «paracos». Las FARC eran originalmente un movimiento de «autodefensa» campesina que se volvió una organización militar poderosa que empezó a intimidar y a secuestrar a agricultores y a campesinos ricos, y esto dio lugar al nacimiento de otras autodefensas para responder a este acoso.

Ha sido un círculo infernal de defensas y autodefensas, hasta llegar a lo que tenemos ahora. ¿Cuántos grupos de autodefensas y paramilitares han nacido con el pretexto de combatir el secuestro, y se han transformado en organizaciones criminales que acaban masacrando campesinos, apoderándose de tierras y usando su poder armado para enriquecerse? Una de las cosas trágicas que ha tenido Colombia es esa facilidad con que aquí brotan grupos armados de toda índole. El historiador inglés Malcolm Deas decía que «Colombia es un país insólito donde se puede fundar una guerrilla en un garaje y en el otro garaje se funda una contraguerrilla»...

ANTONIO CABALLERO: Y también se puede fundar una universidad en un garaje. Aunque eso... Pero, digamos que sí: todas las guerrillas y las contraguerrillas han surgido aquí como autodefensas. Pero es que la defensa propia se presta para toda clase de abusos. No sólo en Colombia: también a escala universal. Todos los imperios, desde el romano hasta hoy, se han justificado a sí mismos por la «defensa propia»: los «ataques preventivos» de que habla Bush. Defensa propia es lo que alegan los paramilitares, defensa propia era lo que alegaban las FARC en el momento de su nacimiento, defensa propia era lo que alegaban los «pájaros» organizados por el Partido Conservador en los años cuarenta y defensa propia alegaban las guerrillas liberales en los mismos años cuarenta. La defensa propia depende de quien la mira. Es como el terrorismo hoy en día. ¿Qué es terrorista? Lo que hacen los otros; y lo nuestro es defensa propia.

ENRIQUE SANTOS CALDERÓN: En todo caso, el gobierno que elige la gente es el único que puede tener una fuerza armada. Realidad aún lejana, desgraciadamente. Pero, hablando de las instituciones armadas legítimas, es interesante, cuando no paradójico, que en Colombia estemos discutiendo si se les debe otorgar el derecho al voto a las Fuerzas Armadas. En toda democracia moderna, sólida y estable esto existe y no tiene connotaciones particulares. En el caso de Colombia, no me parece recomendable. Un editorial sobre el tema produjo una airada reacción de una gran mayoría de lectores que decían que «¿cómo es posible que se les niegue a los militares, que se están sacrificando por la democracia, un derecho democrático tan elemental como es el de votar?». Pero, ¡por favor! Todo hay que mirarlo en función de una realidad pasada y presente: la nuestra. Por más antidemocrático que suene, a mí me parece que, dadas nuestras condiciones actuales, y antecedentes históricos, sería inconveniente poner a votar a los 400 mil uniformados de nuestros cuerpos armados.

ANTONIO CABALLERO: Estoy de acuerdo, me parece que sería peligrosísimo, y creo que eso lo explicó muy claramente Alberto Lleras en un discurso a los militares en el Teatro Patria, en 1957 o 1958. Porque efectivamente los militares son ciudadanos como los otros, menos en el momento en que están armados con un fusil.

ENRIQUE SANTOS CALDERÓN: Servidores del Estado...

ANTONIO CABALLERO: Bueno, empleados del gobierno; pero todos los empleados del gobierno tienen derecho a voto. Por supuesto, no se puede decir que los maestros —que son empleados del gobierno— no pueden tener derecho a voto, o que los ministros mismos, o que el propio presidente de la República no pueden tener derecho a voto, a su voto. El problema es que entre los militares existe otra cosa: primero, las armas; y segundo, la disciplina. La disciplina es lo contrario a la democracia, aunque sea necesaria dentro de determinadas organizaciones que pueden existir dentro de la democracia, pero que no son democráticas. Es el caso de la Iglesia católica, por ejemplo. También en mi opinión debería ser prohibida la votación por parte de las monjas y de los curas.

Lecturas

JUAN LEONEL GIRALDO: *¿Cuáles son las publicaciones que ustedes leen habitualmente para informarse, para buscar orientación?*

ENRIQUE SANTOS CALDERÓN: Leo, por supuesto, *El Tiempo*. Aunque a mí me toca por oficio estar leyendo también mucha prensa regional. Procuro alternar, digamos, un día *El Colombiano*, otro día *El País*, *El Heraldo*, lo que es la otra prensa nacional. De revistas nacionales, leo *Semana* y *Cambio*, a veces *Cromos*, y revistas como *Diners* y *Credencial*, cuando traen artículos interesantes. De publicaciones internacionales leo regularmente *The Economist*, que me parece una excelente revista; alterno *Time* y *Newsweek*; la edición dominical de *The New York Times* y, cuando puedo, *El País*, de Madrid, que es un buen periódico. El periodismo francés me parece que ha decaído enormemente, ya ni miro *Le Monde*. Y es que no hay tiempo para más.

ANTONIO CABALLERO: Tanto Enrique como yo somos profesionales del periodismo, y en consecuencia profesionales de la lectura de prensa. Yo tal vez no lea tantos periódicos como él, pero sí leo bastantes. Vivo la mitad del tiempo en España y la mitad del tiempo en Colombia, entonces leo *El Tiempo* y leo *El País* de Madrid. De semanarios, en Colombia leo *Semana* y *Cambio*.

En España dejé de leer semanarios. El único semanario europeo que leo actualmente es *The Economist*, semanario de derecha pero inteligente y extraordinariamente bien informado y bien escrito. Leo *The Guardian*, de Londres, que es un diario excelente, de izquierda. No leo ya *Le Monde*, como Enrique; pero leo *Le Monde Diplomatique*, que es mensual: un excelente periódico que habla de cosas que muchos otros no mencionan siquiera. Un par de veces por semana leo el *Herald Tribune*, que resume a *The New York Times* y a *The Washington Post*. Ocasionalmente leo algún periódico de provincia colombiano, cuando estoy en Colombia.

Ahora que mencionaba a *The Guardian*, recuerdo que hace unos meses, cuando nombraron a Roberto Pombo editor de *El Tiempo*, le dije: «Roberto, usted tiene una enorme responsabilidad, porque *El Tiempo* es el único diario de circulación nacional que queda en Colombia. Y, mire, yo leo dos periódicos diariamente, *El Tiempo* y *The Guardian*. Y la diferencia es que en leer *El Tiempo* me demoro cuatro minutos, y en leer *The Guardian* me demoro cuatro horas». Y me dijo Roberto Pombo: «Tienes que mejorar tu inglés». Me pareció muy bueno como chiste, pero no es una salida. Es que *El Tiempo* no tiene prácticamente nada que leer y en cambio a *The Guardian* le sobran las cosas. Y creo que eso viene de que *El Tiempo* ha perdido la competencia en Colombia y eso es malísimo para cualquier órgano de prensa.

El Tiempo

ENRIQUE SANTOS CALDERÓN: El que *El Tiempo* no tenga nada que leer o que se lea en cuatro minutos es otro sarcasmo esnob típico de Antonio, que no vale la pena discutir. Otra cosa es que el periódico ha perdido paginaje por la crisis económica, es evidente. *El Tiempo* de hoy es casi la mitad de lo que era hace cinco o seis años, en cuanto al número de páginas. Y otra cosa es que la gente tiene cada vez menos tiempo para leer periódicos y quiere información breve y concisa.

Permanentemente estamos haciendo encuestas de mercadeo y un mensaje recurrente de los lectores es que «no queremos artículos tan largos; preferimos escritos más breves, más al grano, sin tanta carreta». Incluso esa minoría que lee periódicos ya está mediatizada por toda la cultura de internet y de la velocidad, de la dinámica de los noticieros de televisión. La gente les huye a los textos largos o muy teóricos. *El Tiempo* podría publicar en cada edición diez o dieciocho artículos de página entera para hacer vainas de profundidad, pero si eso implica perder más lectores, uno lo piensa dos veces.

ANTONIO CABALLERO: En eso estoy en absoluto desacuerdo. No sólo con *El Tiempo*, sino con la manera como se están haciendo las cosas en Colombia con respecto a los medios de comunicación y con respecto a la política y al mundo entero. Se hacen al revés; es decir, «qué es lo que quieren de nosotros», y no «qué es lo que nosotros les queremos proponer». Así no se puede hacer nada que valga la pena: ni arte, ni cocina, ni política. Yo creo que si Moisés hubiera hecho una encuesta entre los judíos de Egipto, no los hubiera conducido nunca a la Tierra Prometida, porque 74% sí, 24% no. ¿Confía usted en Moisés absolutamente? 36% sí, 61% no… ¿Cuál es la credibilidad de Moisés?, ¿cuál es la favorabilidad de Moisés? Y al final de los sondeos, Moisés hubiera renunciado a conducirlos fuera del exilio.

Eso lo pienso con respecto a la prensa y a los medios de comunicación, en general, y a la televisión, en particular. Creo que se ha llevado a un extremo absolutamente absurdo eso de que «estamos dando lo que la gente quiere». No lo que la gente quiere, lo que la *mayoría* de la gente quiere. La mayoría de la gente quiere fútbol, pero entonces no le damos a la minoría de la gente, que también quiere tenis, el tenis que quiere.

ENRIQUE SANTOS CALDERÓN: Este tema ya lo tocamos, pero quiero decirles que reconociendo que tampoco se trata de darle a la gente siempre lo que quiere, porque sería el círculo vicioso de la mediocridad, estamos haciendo un esfuerzo deliberado por reivindicar el periodismo de profundidad: informes e investigaciones de fondo. Y la crónica, por ejemplo, que prácticamente había desaparecido de las páginas de la prensa colombiana. Las crónicas de sabor humano, bien contadas, bien narradas, sobre temas reales y cotidianos, gustan mucho. El problema es que aquí el síndrome de la crónica se volvió una plaga, y todos los jóvenes periodistas querían ser «Gabos» en potencia, o imitar a Germán Santamaría o a Castro Caycedo, cuando éstos se consagraron en *El Tiempo*.

ANTONIO CABALLERO: «Muchos años después, frente al pelotón de fusilamiento…». He leído mil artículos de periodistas colombianos que empiezan así. Qué horror.

ENRIQUE SANTOS CALDERÓN: Muchos periodistas jóvenes con talento quieren llegar a la crónica sin haber pasado por la reportería; sin haber cubierto un crimen, un partido de fútbol o un debate en el Congreso; sin pasar por el abecé del periodismo, de la reportería, y sin tener los elementos básicos del oficio. Esa explosión de cronistas kilométricos produjo una saturación y fue lo que en un momento dado fatigó al lector. Unos textos farragosos, semilíricos, seudogarciamarquezcos, en los que se les olvidaba contar el cómo, el cuándo, el dónde y el porqué del hecho... Todo eso produjo una reacción extrema, que fue «desterremos la crónica». Tampoco. Y lo que hay, por lo menos en mi periódico, es un progresivo regreso a la buena crónica. El reportaje, la investigación, el informe de fondo, si está bien hecho, gusta. Pero no por estar publicando artículos que demanden media hora de lectura se está haciendo periodismo serio o de profundidad.

ANTONIO CABALLERO: También volvemos a una cosa que ya mencionamos, que es el problema de la educación. Los muchachos que llegan a trabajar a los periódicos, salidos de las facultades de periodismo, son de una ignorancia tan profunda... No es que hayan leído sólo *Cien años de soledad*, es que sólo han leído la frase de apertura de *Cien años de soledad*... «Muchos años después frente al pelotón...». Y entonces empiezan todas sus crónicas así, a ver si les dan el premio Nobel.

JUAN LEONEL GIRALDO: *Gay Talese decía que la crónica, incluso en Estados Unidos, madurada, trabajada, había entrado en crisis porque es costosa de hacer. Los periódicos y las revistas no quieren pagar a un cronista que madure un gran reportaje... más los viáticos,* *los viajes. ¿Por qué Antonio Caballero no es columnista de* El Tiempo?

ANTONIO CABALLERO: Una vez me lo propuso, hace unos años, Hernando Santos, de quien yo era muy amigo, y en ese momento era el director omnímodo y omnipotente de *El Tiempo*. Y le dije que no, que yo prefería ser defensor del lector. Y lo pensó un instante y me dijo: «No, mijito; no, mijito; no, mijito».

ENRIQUE SANTOS CALDERÓN: Eche el cuento completo. Yo le propuse entonces ser defensor del idioma y nunca me aceptó. Antonio vive criticando el maltrato al idioma en *El Tiempo*, en informaciones y en opiniones. Y es cierto que se lee mucha barrabasada. Le propuse, entonces, una columna semanal en la que señalara todas las fallas, en la que no fuera defensor del lector, sino del idioma. Lleva tres años pensándolo.

ANTONIO CABALLERO: Dije que sí en un primer momento, pero la verdad es que nunca lo hemos llevado a la práctica. Pero sí me gustaría mucho porque, obviamente, escribir en *El Tiempo* es escribir en el diario que más se lee en este país.

ENRIQUE SANTOS CALDERÓN: Hubo una época en que era colaborador regular de *Lecturas Dominicales*.

ANTONIO CABALLERO: Hace muchos años, efectivamente.

ENRIQUE SANTOS CALDERÓN: Además, caricaturista, que creó un personaje que terminó pareciéndose tanto a Carlos Lleras que tocó suspenderla.

JUAN LEONEL GIRALDO: *Y ahora escribe muy pocas crónicas de toros en* El Tiempo.

ANTONIO CABALLERO: Porque *El Tiempo* está cada vez menos interesado en los toros.

ENRIQUE SANTOS CALDERÓN: Producto también de una persistente presión de los lectores. En Colombia ha crecido mucho el movimiento contra el maltrato de los animales, y hay una fortísima corriente de opinión contra los toros. Uno va a la plaza de toros —yo soy aficionado— y encuentra unos mítines con una agresividad del carajo. Además, están circulando por internet unos videos impresionantes, que describen detalladamente cómo es el sufrimiento del toro. Entonces, cada vez que sacamos en primera página una foto de toros donde se vean la sangre del toro, la banderilla, la pica, hay una lluvia de mensajes de protesta. Pero también existe aquí la cultura de la tauromaquia muy arraigada en muchas regiones de Colombia. Y esto también hay que respetarlo. Nosotros con los toros seguiremos siempre. De hecho, Antonio Caballero es hoy el cronista estrella de *El Tiempo* sobre la materia. Pero fotos sangrientas de toros en primera página las evitaremos, salvo que sea de la cornada espectacular del torero, por ejemplo.

JUAN LEONEL GIRALDO: *¿Y cuándo vuelve «Contraescape»?*

ENRIQUE SANTOS CALDERÓN: Yo no descarto la idea de desenterrar «Contraescape» eventualmente; pero no mientras esté a cargo de la dirección. Siento una incompatibilidad esencial con ejercer la dirección del periódico y tener una columna personal simultánea. Eso lo expliqué cuando despedí «Contraescape», que me producía una dicotomía, una dualidad muy difícil de manejar. ¿Voy a decir como columnista lo que no voy a decir como editorialista, o viceversa? Además, los temas que siempre trataba en «Contraescape» tenían que ver con la actualidad, con la política, con los temas obvios de un editorial. Entonces no me nace. Pero tampoco pienso eternizarme en la dirección de *El Tiempo*, entonces...

Juan Leonel Giraldo: *Pero en el pasado* El Tiempo *tuvo directores-columnistas.*

Enrique Santos Calderón: Roberto García-Peña, el propio Hernando, pero yo pienso otra cosa.

Juan Leonel Giraldo: *Lo siento con unas tremendas ganas de volver...*

Antonio Caballero: Si puedo interrumpir... A mí me da la impresión de que «Contraescape» acaba de volver. En todo esto que hemos hablado en estos días, yo no me he sentido hablando con el director de *El Tiempo*, con ese personaje tan sereno, tan ecuánime, tan «santista», sino con un Enrique como el que antes escribía columnas.

Enrique Santos Calderón: Es porque usted no lee los editoriales de *El Tiempo*. Casi todo lo que he opinado en estas conversaciones lo he escrito en algún momento dado como director. Ahora bien, ningún director de ningún periódico del mundo escribe todos los editoriales, pues, obviamente, hay un equipo de gente. Yo reviso y reescribo o edito absolutamente todo lo que sale, pero no los escribo todos. Nuestra responsabilidad fundamental con Rafael Santos, con quien comparto la Dirección, es darle a la política editorial, que se supone es el pensamiento institucional del periódico, continuidad, coherencia y una posición clara frente a la realidad que estamos viendo.

ANTONIO CABALLERO: ¿Cuántas personas están escribiendo editoriales?

ENRIQUE SANTOS CALDERÓN: Un pequeño equipo de planta, compuesto por Rafael Santos, el codirector; Rodrigo Pardo, el subdirector; Álvaro Sierra; Leopoldo Villar Borda, y Luis Noé Ochoa, básicamente. Tenemos gente que nos colabora mucho de afuera, como Daniel Samper, y acudimos a especialistas para consultar sobre ciertos temas.

ANTONIO CABALLERO: ¿Y editoriales económicos?

ENRIQUE SANTOS CALDERÓN: Economistas como Carlos Caballero y Mauricio Rodríguez asisten regularmente a los consejos editoriales y también nos asesoramos por fuera. En general invitamos a expertos para que nos sugieran ideas y conceptos sobre problemas específicos, jurídicos, científicos, etc. *The Wall Street Journal*, por ejemplo, tiene 37 personas en su equipo editorial de planta, que se demoran dos y tres días escribiendo un editorial. *The New York Times* tiene veinte, todos especialistas en sus cosas. La función de un director es responder por la línea editorial. Lo que yo he procurado es que la política editorial de *El Tiempo*, frente a temas cruciales —llámense conflicto armado, aborto, corrupción, política nacional o internacional, droga, lo que sea—, trace una orientación relevante, sea pertinente, incida sobre la opinión pública, siente posiciones claras, esté bien informada y tenga impacto. A eso estoy dedicado, creo que se está logrando, y cuando eso esté bien consolidado, podré pensar en volver a «Contraescape».

ANTONIO CABALLERO: Ahí pregunto yo una cosa. ¿Hay una coherencia entre los distintos directores de *El Tiempo* como para que los editoriales puedan ser…?

ENRIQUE SANTOS CALDERÓN: Si no la hubiera, usted ya la habría denunciado. Obvio que todo se discute. *El Tiempo* es una institución de noventa años que sintetiza muchos matices internos. Además, no es una empresa totalmente familiar; los Santos escasamente componen una mayoría. Hay más de cincuenta accionistas.

ANTONIO CABALLERO: Digo una coherencia entre personas tan distintas como, yo qué sé, no sólo los directores de *El Tiempo*, Rafa y usted, sino la gente que tiene influencia dentro de *El Tiempo*, Abdón Espinosa o Roberto Posada.

ENRIQUE SANTOS CALDERÓN: Ellos son accionistas, pero no tienen injerencia en la política editorial. Además tienen sus columnas, donde pueden decir lo que quieran. Los directores de *El Tiempo* no tenemos que lograr un consenso previo, a ver si todos los accionistas están de acuerdo con cada editorial. Sería inmanejable. De hecho, muchos discrepan, por ejemplo, de la posición asumida a favor del aborto o de los derechos de los homosexuales. Unos piensan que *El Tiempo* le hace una oposición exagerada al gobierno; otros, que somos muy uribistas…

ANTONIO CABALLERO: Lo que quiero decir es que *El Tiempo* ya no tiene un director como lo tuvo en tiempos de Hernando Santos; o, antes, en tiempos de Roberto García-Peña; que en realidad era simplemente el factótum del doctor Eduardo Santos. O, antes aun, en tiempos del propio doctor Santos, que hizo el periódico y su influencia.

ENRIQUE SANTOS CALDERÓN: Otras épocas. Hoy hay una co-dirección y un equipo. Se discute, se reciben muchos insumos de muchas partes; pero la responsabilidad de trazar la línea y las posiciones de *El Tiempo* es de la dirección y de nadie más.

ANTONIO CABALLERO: O sea, son dos...

ENRIQUE SANTOS CALDERÓN: Sí, somos dos. Todo lo hablamos. Rafael y yo podemos tener matices o discrepar en algunas cosas, pero lo discutimos hasta que nos ponemos de acuerdo. No es que yo escriba una cosa y Rafael salga y escriba otra contraria. ¿Qué tal?

JUAN LEONEL GIRALDO: *¿Quién escribió el editorial que propuso modificar el himno nacional?*

ENRIQUE SANTOS CALDERÓN: Ese fue de Daniel Samper, quien aporta mucho. La idea, que no compartieron todos, era, con un ánimo medio mamagallista, medirle el aire a la solemnidad del país, de que no siempre todos los temas tienen que ser tan trascendentales, y que a veces hay que generar polémicas picantes.

ANTONIO CABALLERO: Y el himno nacional se lo merece.

ENRIQUE SANTOS CALDERÓN: Sí, claro. Es que la letra es bastante grotesca. La polémica, por supuesto, estalló y el 70% de las cartas fueron vaciándonos. Este país es muy tradicionalista en muchas vainas.

ANTONIO CABALLERO: Es que es un país godo.

Columnistas preferidos

JUAN LEONEL GIRALDO: *¿Cuáles son los columnistas que nunca se pierden, que nunca dejan de leer?*

ENRIQUE SANTOS CALDERÓN: De prensa nacional me gustan Mauricio Vargas, sólido y documentado; Armando Benedetti, original e irreverente; Salud Hernández-Mora, frentera y valiente... Es una vaina dar nombres, porque deja uno por fuera a tanto columnista bueno: Florence Thomas, Rangel, Abad, Bejarano, mi hermano Juan Manuel, que está haciéndolo bien... En fin, otros que se me escapan. Florence es del nuevo tipo de columnistas que hemos tratado de llevar al periódico, que desde distintos ángulos interpretan el pluralismo actual de la sociedad colombiana. A Antonio lo leo cuando no habla de Bush o de los militares. O sea, casi nunca. Mentiras, lo leo casi siempre porque, pese a todo, escribe muy bien.

JUAN LEONEL GIRALDO: *¿Y de fuera de Colombia?*

ENRIQUE SANTOS CALDERÓN: Hay una columnista que me fascina de *The New York Times*, una mujer, que escribe los domingos, Maureen Dowd. Es una maravilla su sentido del humor, su crítica irónica del poder.

ANTONIO CABALLERO: Yo de la prensa nacional leo siempre a Mauricio Vargas, que me parece excelente. A Gómez Buendía, que es un tipo serio. A Héctor Abad, que escribe muy agradablemente sobre temas que en general no son los que tocan los columnistas: la suya no es la columna previsible sobre el tema del momento. Leía, por supuesto, el «Contraescape» de Enrique Santos, cuando existía. Leo a D'Artagnan, para purgarme las tripas.

JUAN LEONEL GIRALDO: *¿Así escriba sobre restaurantes?*

ANTONIO CABALLERO: No.

ENRIQUE SANTOS CALDERÓN: María Jimena Duzán está escribiendo bien.

ANTONIO CABALLERO: María Jimena Duzán dice cosas y además está muy bien informada. Leo a Alfredo Molano en *El Espectador*. Me parece probablemente el mejor columnista que hay en este momento, así sea bastante previsible, pero casi todos son previsibles. Casi todos los columnistas en Colombia son previsibles, cosa que tampoco me parece mal. Yo también lo soy.

ENRIQUE SANTOS CALDERÓN: A mí Molano me parece previsible y monotemático. ¿Ahora me va a decir que le parece bueno Felipe Zuleta?

ANTONIO CABALLERO: No. En *Vanguardia*, de Bucaramanga, leía a Silvia Galvis cuando escribía. De la prensa internacional leo siempre a Maureen Dowd, en el *Herald Tribune*.

ENRIQUE SANTOS CALDERÓN: Paul Krugman, de *The New York Times*, también es bueno.

ANTONIO CABALLERO: Sí, Paul Krugman. Leo también a William Pfaff, que es uno de extrema derecha excelente, como William Safire.

ENRIQUE SANTOS CALDERÓN: William Safire es muy bueno.

ANTONIO CABALLERO: Excelente, es la derecha inteligente.

ENRIQUE SANTOS CALDERÓN: Tiene además una columna sobre el idioma en el dominical *The New York Times Magazine*, como la que usted debería escribir para *El Tiempo*.

ANTONIO CABALLERO: Magnífica, deliciosa columna.

ENRIQUE SANTOS CALDERÓN: *Newsweek* tiene un columnista muy brillante, sobre asuntos internacionales, que se llama Farid Zacarias.

ANTONIO CABALLERO: A uno que leía muy a menudo, pero que se acaba de morir —se murió hace unos meses— era al palestino Edward Said, palestino-americano, profesor de la Universidad de Yale, autor de un libro maravilloso que se llama *Orientalismos*, que es sobre la visión que Occidente tiene de Oriente... Leo a Ignacio Ramonet en *Le Monde Diplomatique*, y a Jean Daniel en *Nouvelle Observateur*, y a Delfeil de Thon y a Scalfari en *The Reppubica*.

ENRIQUE SANTOS CALDERÓN: En España hay gente, como Manuel Vicent, y estaba Vásquez Montalbán.

ANTONIO CABALLERO: Sí, esos son muy literarios. Está Maruja Torres, pero la han apartado mucho; también, Vásquez Montalbán, pero acaba de morir. Joaquín Estefanía, en *El País*, sobre temas económicos.

JUAN LEONEL GIRALDO: *Muy literarios. ¿No hay en España un buen columnista, puro periodista?*

ANTONIO CABALLERO: Sí, sí los hay.

JUAN LEONEL GIRALDO: *Pero que valga la pena leer…*

ANTONIO CABALLERO: Raúl del Pozo, por ejemplo, en *El Mundo*; porque Francisco Umbral es un personaje repugnante, aunque escribe muy bien. Vicente Verdú en *El País*, o Millás. O, en la derecha, del *ABC*, Francisco Ussía.

Hablando de *El Mundo*, no me gusta Salud Hernández-Mora, porque la leo en *El Tiempo* y la leo en *El Mundo* de Madrid, y las cosas que dice son completamente diferentes. En *El*

Mundo es una periodista amarillista, en cambio en *El Tiempo* es una periodista combativa, seria. No me gusta que tenga dos personalidades distintas, de acuerdo con el país para el que escribe.

ENRIQUE SANTOS CALDERÓN: Tiene la doble nacionalidad...

ANTONIO CABALLERO: Yo también tengo doble nacionalidad, pero escribo lo mismo en España que aquí.

Libros

JUAN LEONEL GIRALDO: *¿Qué libros están leyendo ahora?*

ENRIQUE SANTOS CALDERÓN: Me gustan mucho los autores gringos. Leí hace poco una novela de Philip Roth, *La mancha humana*, fantástica. Otra excelente, que se ganó el Pulitzer hace un par de años, es *Cold Mountain*, de Charles Frazier, que inspiró una película que tuvo acogida.

Y de autores colombianos procuro siempre estar leyendo lo que sale, casi como deber patriótico. Me leí la última de Santiago Gamboa, *El cerco de Bogotá*. Me pareció un gran tema desperdiciado. Arrancó muy bien, pero se quedó a mitad de camino, no lo desarrolló. Lo último que salió de Tomás González, *El rey del Honka Monka*, cinco cuentos, es bastante bueno, pero nunca como su primer libro, que me fascinó, *Primero estaba el mar*, editado por El Goce Pagano. Cuando apareció *Rosario Tijeras*, de Jorge Franco, me pareció buenísima y le dediqué un «Contraescape».

ANTONIO CABALLERO: No sé. Si hablamos de novelas, la verdad es que yo leo las novelas con mucho retraso. Autores que lea permanentemente (sus ensayos o sus artículos de prensa) hay dos: uno es Gore Vidal, que es siempre extraordinario. Acaba de publicar una recopilación de ensayos contra Bush que es maravillosa. Y otro es Rafael Sánchez Ferlosio, un español de una inteligencia y de una mala leche asombrosas y admirables. Nada de lo que escribe Sánchez Ferlosio es tonto. A veces es un poco pesado de leer, a diferencia de Gore Vidal.

JUAN LEONEL GIRALDO: *Sánchez Ferlosio, creo, es columnista en alguna parte...*

ANTONIO CABALLERO: Escribe ocasionalmente columnas en los periódicos, pero saca fundamentalmente libros de ensayo. También fue un gran novelista, pero hace mucho que no escribe ficción.

ENRIQUE SANTOS CALDERÓN: Un tema que siempre me ha apasionado, como a mi padre, es el de la guerra civil española. Me leí hace poco una novela histórica que se llama *Soldados de Salamina*, de Javier Cercas, muy bien jalada.

JUAN LEONEL GIRALDO: *Entramos ya a la edad de la relectura. ¿Qué están releyendo?*

ANTONIO CABALLERO: La verdad es que yo releo poco. Prefiero leer libros que no haya leído, y me faltan varios cientos de millones. No sé si me va a dar tiempo, como al doctor Julio César Turbay. Hace unos años quise releer a Salgari, que me había fascinado de niño: *Sandokán*, *Los piratas de la Malasia* o *El Corsario Negro*. Fue un gran error. Releo poesía, eso sí.

ENRIQUE SANTOS CALDERÓN: Releo periódicamente páginas sueltas de *Cien años de soledad* y de *El amor en los tiempos del cólera*, dos libros que me devoré en su momento. Con motivo de los veinte años de la muerte de Cortázar volví a saltar por *Rayuela*, una novela que me fascinó. A Henry Miller suelo volver con frecuencia, sobre todo a «los trópicos...», pero releerme algo totalmente de nuevo, muy poco. *El americano impasible*, de Graham Greene, es tal vez el último libro que recuerdo haberme releído de arriba abajo.

En el campo no literario, algunas biografías, como la de Rafael Reyes, de Eduardo Lemaitre, que estuve ojeando el año pasado y tiene una interesante actualidad. La de Lenin, de Fischer. *Homenaje a Cataluña*, de George Orwell, lo cojo cada vez que lo veo. Igual con *La guerrilla por dentro*, de Jaime Arenas Reyes, tal vez el libro más premonitorio sobre lo que iba a suceder en el movimiento guerrillero colombiano. Las relecturas son algo ocasional y totalmente espontáneo. Nada que me proponga. Me topo con un libro que me impactó o gustó mucho y lo agarro de una.

JUAN LEONEL GIRALDO: *Finalmente, ¿conservan, o han adquirido recientemente, la lectura de ensayistas políticos, o económicos, o filosóficos, que son su credo, su guía?*

ENRIQUE SANTOS CALDERÓN: Bobbio, Popper, Habermas son pensadores contemporáneos que respeto mucho. Pero, ¿nuevos ensayistas políticos o filosóficos que sean credo o guía? No, para nada. No los veo, no los conozco, o quizás ya no estoy leyendo lo suficiente.

ANTONIO CABALLERO: En eso yo he sido siempre bastante ecléctico: de san Agustín a Marx, de Bolívar a Galbraith. Y bastante escéptico: no tengo credo ni guía. Ni siquiera los editoriales de Enrique.